Çok köklü bir İstanbul ailesinin çocuğu olarak İstanbul'da dünyaya geldi. Küçük yaşta başlayan okuma tutkusu sayesinde on bir yaşına geldiğinde dünya klasiklerinin tamamını okuyup bitirmişti. On yaşında Yurttan Sesler Korosuna katıldı; Âşık Veysel, Muzaffer Akgün, Neriman Altındağ gibi önemli sanatçılarla çalıştı. On iki yaşında Ankara Radyosunda mandolin orkestrası eşliğinde ilk gitar konserini verdi. Ankara Kız Lisesi'ni bitirdikten sonra İstanbul Üniversitesi Hukuk Fakültesi ile beraber İstanbul Üniversitesi İktisat Fakültesine bağlı Gazetecilik Yüksek Enstitüsüne devam etti. "Mehmet" mahlasıyla köşe yazarlığı yaptı. Kriminoloji alanında uzmanlaşarak ağır ceza avukatı olarak isim yaptı. Ankara Süt Endüstrisi Kurumu hukuk müşavirliği görevi sırasında İstanbul, İzmir ve Adana süt fabrikalarının kurulmasına katkıda bulundu. Daha sonra Sağlık İşçileri Sendikası baş hukuk müşaviri olarak TBMM'de Türk işçi hakları üzerine kanun teklifleri hazırlamakla görevlendirildi. Deprem İcra Heyeti Hukuk Müşavirliği, Afet İşleri Genel Müdür Yardımcılığı görevlerinde bulundu. Aynı zamanda küçük yaşta başlayan resim çalışmalarına hız vererek merkezi Paris'teki *Union Feminine Artistic et Culturel* adındaki beynelmilel federasyona Türkiye'nin de üye olmasını sağladı. Sühendan Fırat'la beraber Türkiye'ye resim dalında altın madalya kazandırdı. Özgün bir sanat ekolü kurarak plastik sanatçılar ansiklopedisinde yer aldı. İstanbul'un Fethi Derneğinde Nihat Sami Banarlı, Yahya Kemal Bayatlı, Reşat Ekrem Koçu, Abdülhak Şinasi, Ekrem Ayverdi'nin oluşturduğu gruba şerik olarak katıldı, çok ciddi kültürel çalışmalarda bulundu. Yahya Kemal Beyatlı Müzesinin kuruluşuna katkıda bulundu. Yazarın ses kaydını içeren bir bant, Kubbe Altı Cemiyeti Müdürü Nihat Sami Banarlı tarafından İstanbul şivesini en iyi konuşan kişinin sesinden Türkçe'nin en iyi örneği olarak Oxford Üniversitesine gönderildi. *Prens Kardu, Altın Kalem Masalı* adlı iki ciltlik çocuk kitabı Maarif Kitapevi tarafından basıldı ve Milliyet gazetesi tarafından "çocuk edebiyatının en iyi örnekleri" arasında gösterildi.

kaknüs yayınları: 362
der-saâdet kitaplığı: 4

ısbn: 978-975–256–152–6

I. basım;
2007, istanbul

kitabın özgün adı: *âsitâne efsaneleri*
kitabın yazarı: *ışık sükan*

redaksiyon: seda çiftçi
teknik hazırlık: yusuf yağ
kapak düzeni: hatice dursun
iç baskı: alemdar ofset
kapak baskı: milsan
cilt: dilek mücellit

kaknüs yayınları
kızkulesi yayıncılık ve tanıtım hiz.
merkez: selman ağa mah., selami ali efendi cad., no: 11, üsküdar, istanbul
tel: (0 216) 341 08 65 – 492 59 74/75   faks: 334 61 48
dağıtım: çatalçeşme sk., defne han, no: 27/3, cağaloğlu, istanbul
tel: (0 212) 520 49 27   faks: 520 49 28
www.kaknus.com.tr   e–posta: info@kaknus.com.tr

ÂSİTÂNE
EFSANELERİ

Işık SÜKAN

İçindekiler

Sunuş

Üniversite öğrenimi gördüğüm yıllarda, artık çok yaşlanmış olan eski İstanbul hanımefendilerini sık sık ziyaret ederdim. Bu zarif hanımefendilerin çoğu, Cumhuriyetten evvel sarayla da ilişkisi bulunan anneannem tarafından yakın ve uzak akrabalarımdı. İstanbul'un hızla değişen çehresi içerisinde hiç ummadığınız bir sokak arasında karşınıza çıkıveren köşklerde, konaklarda yaşarlardı. Meselâ eski telgraf nazırı Sabri Efendi'nin kerimesi Mükrime Hanımefendi'nin hâlâ bahçe içinde bir köşkleri, müştemilatlarında emektar bahçıvanları, kâhya ve hizmetçileri vardı. Apartman hayatının modern ayrıcalıkları her ne kadar şuursuzca eskiye dudak büküp tepeden baksa da o geniş tavanlı, ahşap kâşaneleri görür görmez eski İstanbul'un buram buram âzamet ve zarafet kokan hatıraları canlanırdı gözümün önünde. Hüzünle karışık bir huzur hissi uyanırdı içimde. Ziyaretlerim boyunca büyük teyzelerimin dizlerinin dibinden ayrılmaz, elimden geldiğince gönüllerini hoş tutmaya çalışırdım. Osmanlı'nın son dönemlerindeki hayatın nasıl olduğunu, gençliklerinde nasıl yaşadıklarını, nasıl eğlendiklerini sorgular, çok ciddi notlar alırdım. Eski İstanbul hanımefendilerinin uzun kış gecelerinde komşularıyla nasıl vakit geçirdiklerin dinlerdim. Bu çok yaşlı hanımların geçmişten bahsederken gözleri dolar, âdeta gençlik günlerine geri dönerlerdi. Kaş göz işaretleri kullanarak çocuk terbiye eden bu otoriter hanımefendilerin benimle olan samimiyetleri, onlardan çekinerek yaşamış kişileri yarım asır sonra bile şaşırtmıştır.

O dönemlerde sık sık ziyaretlerine gittiğim eski İstanbul ailelerinden ünlü sadrazam Ahmet Vefik Paşa'nın gelini ile olan sohbetlerimin, hafızamda çok özel bir yeri vardır. Kendileri doksan yaşında oldukları hâlde inanılmaz güzel ve zarif bir hanımefendi idi. Muhiddin Paşa'nın kerimesi büyük teyzem Makbule Hanımefendi'nin Yemen harbiyle ilgili anektodlarını, onun ablası Şükriye Hanımefendi'nin Otuz bir Mart vakası sırasında İstanbul'da yaşanan dehşetle ilgili anılarını, Manastır Mutasarrıfı'nın kerimesi babaannem Hatice Hanım'ın Balkan Savaşı'nda bozguna uğramamız sonucu parçalanan ailelere dair anlattığı hazin hatıraları dinledim. Benim için hazine değerindeki bu gerçek hayat hikâyelerini, o günlerde bana göre çok yaşlı olan bu hanımefendilerin tenezzülen, beni muhatap almaları ile öğrendim.

Eski İstanbul'u yaşamış bu nadide hanımlar, zaman içinde birer birer hayata veda ettiler. Tabiatıyla onların tanık oldukları eski İstanbul folklorunu tespit etmek de artık çok güç bir hâle geldi. Bu bakımdan ziyaretlerimin özgün bir mahsülü olarak kaleme aldığım Âsitâne* Efsaneleri adlı eserin, eski İstanbul yaşam tarzını yeni nesillere aktarmada önemli bir rol üstleneceğine inanıyorum.

Bu eserin realize edilmesinde sabırlı çalışmalarıyla bana yardımcı olan çok değerli ve sevgili evlâdım Hasan Bora Döken'e sonsuz teşekkür etmeyi bir borç bilirim. Ayrıca Alpan Anıl Bey ve annesi Nevin Anıl Hanımefendi'yi de şükran ve hayırla yad ederken, bütün hayatıma tesir eden iyilikleriyle, değerli Hikmet Peker ve eşi Sevda Peker ve biraderi Akif Utku Beyefendi'ye de minnetlerimi arz ederim. Rahmetli Nezihe Peker Hanımefendi'yi de zikretmekten şeref duyuyorum.

Işık Sükan

* âsitâne: Osmanlı İmparatorluğu döneminde başşehir mânâsında İstanbul için kullanılan tabir.

Kendi Etti Kadın

Bir vaktin zamanında Taşkasap'ta oturan bir hanım ile onun sevgili efendisi hanelerinde memnun mesut yaşarlardı. Refah içindeydiler. Lâkin dertsiz kul olmadığına göre onların da bir üzüntüsü vardı tabii. Yirmi yıldır evli olmalarına rağmen hâlâ bir evlât sahibi olamadıkları için üzülüyorlardı.

Günlerden bir gün hanımcağız kalkıp hamama gitmeye karar verdi. Özene bezene hazırladığı bohçasına; gümüş hamam tasını, sedefli gümüş nalınlarını koydu. Daima konu komşularının iltifatlarına nail olan su böreğini ve zeytinyağlı yaprak dolmasını da zamanın meyvelerinin yanına katıp yola revan oldu.

O zamanın devrinde İstanbul'da hamama gitmek, hanımların vazgeçilmez bir buluşma ve eğlence sebebiydi. Banyo sırasında şarkılar söylenir, raks yapılır, oyunlar oynanırdı. Kadınlar birbirine evden getirdikleri uygun yemek ve tatlıları ikram ederken aynı zamanda marifetlerini de sergilemiş olurlardı. Hamam kapısı önünde yanına azık almadan gelmiş hanımlara, şişman Arap bacılar "dômma dôldurdum, dômma dôldurdum!" diye, ince ve tatlı sesleriyle mallarını pazarlarken onların bozuk şiveleriyle söyledikleri "dômma dôldurdum" ifadesini "donuma doldurdum" deyişine benzeten İstanbul hanımları, bunu şaka gibi algılayarak gülüşürler ve evlerine döndükten sonra bile bu lâtifeyi sürdürürlerdi.

Her neyse, bizim hanım da o gün keyifli bir heyecanla hamama geldi. Dostlarıyla selamlaştı. Soyunup dökündü. Her zaman yıkandığı kurnanın başına geldiğinde bir de ne görsün? Bitişik kurnada yıkanan kızı yaşında bir afet-i devran; ay ile güneşe "sen mi doğarsın, ben mi doğayım?" gibilerden soru soracak kadar dilber bir kızcağız! Hanım, hemen ahbap olduğu genç kızcağızın, topuklarına kadar uzanan, gümrah saçlarının yıkanmasına yardım etti. Evlât hasretiyle yanan yüreğinin en candan ifadesiyle:

– Yavrucağım, eğer benim de bir çocuğum olsaydı senin yaşında olabilirdi. Seni çok sevdim, beni ikinci bir anne gibi kabul edebilir misin? diye sordu. Kızcağız:

– Tabii, ben de sizi çok sevdim, bundan sonra size cici anne diye hitap ederim artık. Ne zaman isterseniz bizim eve teşrif edebilirsiniz. Biz Aksaray'da, Oyunbozan Çıkmazı'nda oturuyoruz, dedi.

Güle oynaya hamam eğlencelerine katılıp güzelce rahatlayan hanım evine geldi. Akşam olunca efendisi mutat saatinde yorgun argın işten geldi. Hanım süslenmiş, güzel kokular sürünmüş olarak güler yüzle efendisini karşıladı. Adamcağız soyunup dö: künüp gecelik entarisini giyerek hazır sofranın başına oturdu.

– Hanımcığım günün nasıl geçti bakalım? Nurun artmış. Seni böyle keyifli görmek beni memnun ediyor, diye hanımına iltifat etti. Hanım:

– Ah sorma kocacığım! Bugün hamama gittim. Günüm ya! Benim kurnamın yanında, doğursaydım kızım olacak yaşta bir cihan güzeli yıkanıp durmuyor mu? Aman efendim ben ömrümde öyle dilber bir yavrucuk görmedim! Bildiğiniz gibi değil. O gümrah, lepiska saçlar topuklarına kadar. Badem gibi simsiyah gözler, uzun kirpikler, al al olmuş yanaklar, kiraz dudaklar... Siyah bir zeytin tanesi yutsa boğazından inerken görülecek nerdeyse, öyle şeffaf bir ten! Nasıl anlatayım bilmem ki? Kendisiyle ahbap olduk, saçlarını yıkamasına yardım ettim. Ben onu nasıl sevdiysem, o da beni sevmiş. Artık bana cici anne diye hitap edecek. Evleri Aksaray'da Oyunbozan Çıkmazı'nda imiş, babası da binbaşıymış. Annesi de çok tatlı bir hanım! İnşallah en kısa zamanda görüşmeyi düşünüyorum.

Efendi ciddi, sakin ve çok dikkatli bir şekilde hanımının anlattıklarını dinledi. Herhangi bir yorum yapmadan lafı değiştirdi.

– Hanımcığım bugün Kayseri'den gelmiş bir ağa ile tanıştım. Kendisi oldukça zengin bir adam. Beni Kayseri'deki çiftliklerine davet etti. Birlikte ticaret yapmayı düşünüyoruz. O yüzden birkaç günlüğüne eve gelemeyeceğim. Yolculuk için gerekli eşyalarımı ve bavulumu hazırlayıver elmasım. Çok geç olmadan erkenden yatalım.

Ertesi sabah erkenden, hanım efendisini faytona bindirerek uğurladı. Selâmetle ve kolayca su gibi gidip kolayca dönsün diye hazırlamış olduğu su dolu tası arkasından dökecekti. Efendisi yola çıkarken:

– Hanımcığım, uzun zaman kalmayacağım. Ben eve dönünceye kadar lütfen oraya buraya misafirliğe gitme. Evden dışarı çıkmanı istemiyorum. Ben döndükten sonra seni Küçüksu'ya, mesire yerlerine götürür, gönlünü hoş ederim. Haydi kal sağlıcakla! demişti.

Efendisinin yola gitmesinden iki gün sonra; hanımın, Aksaray'ın tanınmış ailelerinden birine mensup, samimi bir ahbabı kendisini ziyarete geldi. Hoşbeşten sonra misafir hanım:

— Ayol evvelsi gün sen bize gelmeyecek miydin? Ama neden gelmediğini biliyorum. Kocan evde değil diye, öyle değil mi?

— Doğru. Nereden anladın?

— Senin kocan nerede biliyor musun kuzum?

— Birlikte ticaret yapacağı Kayseri'li bir ağa varmış. Onun çiftliğini görmek için kısa bir seyahate çıktı.

— Ah benim şekerparem! Senin efendi, seyahatte filân değil güzelim!

— Değil mi? Öyle ise nerede?

— Nerede olacak, Aksaray'da bir binbaşının kızına talip olmuş. Düğün hazırlıkları görülüyor. İki üç hafta sonra nikâh kıyılacakmış, anladın mı?

Zavallı hanım bayılacakmış gibi oldu. Beti benzi attı. Ama metanetini muhafaza etti.

— Yaaa! Eksik olma sevgili dostum. İyi ki haber verdin. Allah senden razı olsun! dedi.

Biçare kadıncağız, komşusunu uğurladıktan sonra dertli dertli iki gözü iki çeşme ağlamaya başladı. Fakat çok geçmeden kendi kendine bir karar vererek çarşafını giydi. Bitpazarına gitti. Döndüğü zaman hâlinden memnun gibiydi.

Ertesi sabah, pazardan aldığı eski püskü esvapları giydi. Yıpranmış bir yeldirmeyi üstüne geçirdi. Kafasına da deri üstüne ağarmış saçlar iliştirilerek yapılmış bir peruka oturttu.

– Kendi elimle, kendi dilimle, kocamın aklına olmayacak şeyler getirttim. Yazıklar olsun bana! diye söylene söylene, koltuğunun altına bir bohça alıp kapısını kilitledi. Doğru Aksaray'a Oyunbozan Çıkmazı'na gidip gelişigüzel bir kapıyı çaldı. Evden:

– Kim o, kim o? Ne istiyorsun? diye sordular.

Hanım, kendine taşralı süsü vererek cevap verdi.

– Hanımcığım tahtaya,* çamaşıra, bulaşığa boğaz tokluğuna hizmet ederim.

– Aaa! Bize adam lazım değil. İki ev ötede mütekait** binbaşı kızını evlendiriyor. Onların işine yararsın. Git, Hansa Hanım gönderdi de. Seni kabul ederler, deyince bizimki:

– Allah ömürler versin hanımcığım, dedi. Sonra da gidip binbaşının kapısını çaldı.

– Kim o?

– Tahtaya, bulaşığa, çamaşıra her işe bakarım. Hansa Hanım'ın selamı var. Beni size yardıma gönderdi.

– Yaa! Öyle mi? Gel gel! Adın ne senin?

– Benim adım Kendi Etti Kadın.

– Allah Allah! Ne biçim isim o öyle?

– Ne yapayım efendim? Öyle koymuşlar bir kere.

– Eh pekâlâ! Gel buraya, yerini göstereyim. Şu odada yatıp kalkarsın. Elinden dikiş gelir mi senin?

– Gelir efendim. Bir hanımın elinden gelebilecek bütün işlerden anlarım. Elbise diker, nakış işler, tentene örerim.

---

* O devirde İstanbul'daki evler ahşap olup yer döşemeleri de boylu boyunca tahta kaplıydı. Titiz ev hanımları, döşemeyi özel tahta fırçaları ile ovdurur, tahtaların limon gibi sapsarı olmasıyla övünürlerdi. Ama tahta ovmak oldukça zor ve yorucu bir işti.

** mütekait: emekli.

– Oh oh! İyi iyi! Öyleyse, kaba işlerle diğer hizmetkârlar uğraşsın. Sen çeyizi hazırlamaya yardım et.

– Siz bilirsiniz hanımcığım.

Böylece Kendi Etti Kadın, mütekait binbaşının evine kapılandı. Tatlı dili, becerikliliği, nezaketi ile kısa zamanda evde en çok sevilen, en ziyade fikri sorulan bir insan hâline geliverdi. Onun yardımıyla işler kısa zamanda, ideal bir şekilde görülüveriyordu. Nihayet nikâh kıyıldı. Düğün yapıldı. Kendi Etti Kadın yengeliğe tayin edildi.

Düğünün ertesi günü, gelin bin naz ile hamama gitti. Kendi Etti Kadın, onun dilber vücudunu iyice yıkadıktan sonra başına kına yaktı. Yaktı ama kınaya zırnık* karıştırmıştı. "Siz burada bekleyedurun, ben dışardan tarağı alıp geleyim" diye bir yalan uydurduktan sonra, hamamdan çıkıp doğru kendi evine gitti. Üzerindeki kıyafetleri değiştirip kendi süslü elbiselerini giydi. Evini derleyip toplayıp güzel yemekler pişirdi.

Geline gelince saatlerce hamamda Kendi Etti Kadın'ı bekledi. Baktı ki ne gelen var ne giden. Başına su döküp kınalı saçını yıkamak istedi. Bir de ne görsün? O topluklarına kadar uzun, gür saçları önüne düşüvermez mi? Kızcağız, dım dızlak kel kalan kafasına bakıp ağlaya ağlaya eve döndü. Akşam kocası gelip onu öyle saçsız, kel kafalı, dım dızlak görünce "Ben böyle kel bir kadını zevcem olarak kabul edemem" deyip kızcağızı boşayıverdi.

Ertesi gün bizim Kendi Etti Kadınımız, sözüm ona seyahatten (!) dönen beyini her zamanki gibi güler yüzle karşıladı.

Epey bir zaman sonra, Aksaray'da oturan ve kendisine, kocasının evleneceği haberini getiren samimi dostu yine ziya-

---

* zırnık: hamam otu olup saçları çürüterek yok eder.

14

retine geldi. Kendi Etti Kadın'ın, karşısında oturan hanımın tebdili kıyafet hâli olduğunu bilmediği için heyecanla, söz konusu esrarengiz kadının binbaşının kızına oynadığı oyunu ve kızın nasıl boşandığını anlatıyordu.

– Aman iyi oldu elmasım, o kadın sayesinde sen de ortaktan kurtuldun.

O günden sonra, bizim hanım kocasının yanında başkalarını övmedi. Eskisi gibi keşke bir evlât sahibi olsaydım, diye de fazla üzülmedi.

Mihrimah Sultan İle Rüstem

Vaktiyle İstanbul'da çok büyük bir hükümdar vardı. Kudretiyle cihanı titretmiş, nice krallara önünde diz çöktürtmüştü. Padişahların çok eskiden beri tebdili kıyafet edip Memalik-i Osmaniye'yi* teftiş etmek gibi bir gelenekleri vardı. Buna uygun olarak günlerden bir gün, bu azametli hükümdar da vezirini yanına alarak tebdil kıyafet, etrafı dolaşmaya çıkmıştı. Beraberce az gittiler uz gittiler, nihayet bir dere kenarına vâsıl oldular. Dinlenmek için atlarından indikleri vakit, sakalı göbeğinin altına kadar uzamış, bembeyaz saçlı bir derviş gördüler. Adamcağız önündeki büyükçe iki çuvalın ikisinden de birer çöp alıyor, bunları birbirine bağladıktan sonra dereye atıyordu. Padişah ihtiyarın yanına sokularak:

— Kolay gelsin baba. Neden bu çöpleri bağlayıp dereye atmak için uğraş veriyorsun? Ne yapıyorsun sen böyle? diye sordu.

— Allah uzun ömürler versin Padişahım, çöp çatıyorum, diye cevap verdi derviş.

* Osmanlı Memleketlerini.

17

Padişah, kendisini başını bile çevirmeden tanıyan bu adama hayretle baktı ve:

– Yaa! dedi. Çöp çatmak da ne demek, ne işe yarar bu? diye sordu.

– Bak şimdi, dedi derviş. Bu çuval er kişilerin, bu çuval hatunların çöpleri. Ben er kişilerin çöplerinden bir tane alıyorum, hatun kişilerin çöplerinden de bir tane alıyorum, bağlıyorum. Dereye atıyorum. Böylece ileride bu kişiler birbirlerini bulup evlenecekler. İşte benim vazifem de bu.

– Peki. Şimdi kimin çöpünü çatıyorsun?

– Senin kızın Mihrimah Sultan ile Çoban Rüstem'in çöpünü çatıyorum.

Bunu söyledikten sonra birbirine bağladığı iki çöpü dereye fırlattı. Padişah çok kızmıştı.

– Nasıl? diye kükredi. Çabuk yaptığını boz!

İhtiyar omuz silkti.

– Benim çattığım çöpü kimse bozamaz, dedi ve birdenbire kayboluverdi. Padişah çok sinirlenmiş, çok üzülmüştü. Veziri yanına gelerek:

– Üzülme Sultanım, dedi. Sizin Mihrimah* isminde bir kızınız yok ki! Eğer bir evlâdınız olursa ona Mihrimah ismi koymazsınız, mesele de böylece hallolur gider.

Bu sözler üzerine padişah ferahladı. Lalasıyla** beraber atlarına binip geri döndüler.

Aradan kaç sene geçti bilinmez. Padişahın bir kız evlâdı dünyaya geldi. Anası Sultan Hanımefendi:

– İsmini Mihrimah Sultan koyalım efendimiz, diye padişah kocasından ricada bulundu. Padişah, bu karısını her şey-

---

* Mihrimah: ay ve güneş.
** lala: Osmanlı Vezir-i Azamlarına lala denirdi.

den ve herkesten daha çok severdi. O sırada kafası devlet işleri ile meşguldü. "Olur olur" deyip kabul ediverdi.

Divan toplantısında padişah kızının ismini vüzeraya söyleyince lalası:

– Aman Efendimiz ne yaptınız? Çöpçatanın ilk dediği çıktı, diye telaşlandı. Sultan da üzüldü;

– Bu mesele tamamen aklımdan çıkmış. Olan oldu bir kere, sultan kızının adı kondu. Şimdi ne yapacağız?

Vezir yine akıl verdi:

– Hünkârım köylere çıkarız. Hangi çobanın Rüstem isminde bir oğlu varsa onu bulur öldürürüz. Böylece iş hallolur gider.

Bu fikre padişahın da aklı yattı. Hemen kıyafetlerini değiştirip, mütevazı ve saygın birer tüccar kılığına girdiler. Atlarına atladılar. Başladılar köy köy dolaşmaya. Nihayet bir çobanın evinde misafir oldular. Laf arasında biçare adam bir oğlu olduğunu söyledi. Vezir hemen çobana oğlunun ismini sordu. Adamcağız da "Rüstem" diye cevap verdi. Daha sonra padişah ile lalası çobanın evinde misafir kaldılar. Yediler içtiler. Gecenin ilerleyen saatlerinde herkes uykudayken padişahın odasında uyuyan çocuğu kapmasıyla atlarına atlayıp kaçtılar.

Bir dere kenarına gelince padişah belindeki murassa mücevher kakmalı altın hançeri çıkarıp yavrucağın karnına sapladı. Ve bebeği kaldırdığı gibi suya attı. Artık padişah da lalası da rahatlamıştı. Müsterih olarak saraya döndüler.

Dereye fırlatıp attıkları yavruyu sular biraz sürükledi. Fakat sonunda çocukcağız kamışlara takılıp kaldı. Gün batarken sürüsünü köye döndüren çoban, ineklerinden birinin suya girdiğini ve çıkmaya hiç niyetli olamdığını görünce şüphelendi. Yaklaşınca bir de ne görsün? İnek, kaçırılan oğlu Rüstem'i emzirmiyor mu? Hemen yaralı çocuğu alıp eve getirdi. Öldürmeyen Allah öldürmez. Karnına saplanmış hançer çıkarıldıktan sonra çok geçmeden çocuk iyileşti.

Aradan seneler seneler geçti. Rüstem koskoca bir delikanlı oldu. O kadar yakışıklıydı ki ay mı güzel gün mü güzel, Rüstem mi güzel diye sorsalar herkes Rüstem diye cevap verirdi. Çocuk böyle kısa zamanda büyüyüp serpilince arkadaşları gibi askere gitmek üzere hazırlıklara başladı. Evden ayrılacağı gün anasıyla babasıyla helalleşirken babası tuttu padişahın hançerini ona verdi.

– Oğlum, dedi. Al bu hançeri! Bir zamanlar sen bebekken her ne sebeptense seni öldürmek isteyen adamın hançeridir.

Neyse Rüstem sipahi oldu. Az gitti uz gitti, Edirne'ye gelip orduya iltihak etti. Yine uzak memleketlerden birine sefer vardı. Padişah da orduya kumanda ediyordu. Bir kalenin zaptında Rüstem öyle kahramanlıklar gösterdi ki, hünkâr bu aslan yavrusu delikanlının huzuruna getirilmesini emretti. Biraz sonra çocuk huzura kabul edildi. Görüşmeye başladılar. Görüşme sırasında padişah Rüstem'in kuşağında parlayan hançeri görmek istedi. Delikanlı da çıkarıp verdi. Padişah kendi malını tanımıştı. Aklı seneler evveline gitti. Dalgın dalgın bu hançeri nereden ele geçirdiğini Rüstem'e sordu. Çocuk, ta bebekliğinde başına gelen vakıaları bir bir anlattı. O anlattıkça hünkârın içindeki kin ve hiddet artıyordu. Nihayet huzurundakilere destur verdi. Yalnız kalıp düşünmeye ihtiyacı vardı.

Akşama doğru Rüstem'i tekrar çağırttı. Ve ona bir mektup vererek bunu İstanbul sarayına, lalasına götürmesini emretti. Çocuk nâmeyi öpüp başına koyduktan sonra otağdan ayrıldı. Atına atlayıp dörtnala yola koyuldu. Hiçbir yerde mola vermiyor, hayvanı zorladıkça zorluyordu. Hünkârın emrini yerine getirdikten sonra savaş etmeye geri dönecekti. Böylece yemeden içmeden, bir an dinlenmeden İstanbul'a geldi. Kale kapısından dörtnala geçti. Fakat at, daha fazla dayanamayarak çatlayıp yere yıkıldı. Rüstem tam zamanında attan yere atladı. Ve hiçbir şey olmamış gibi hızlı adımlarla saraya doğru yürümeye başladı. Fakat çok yorgundu, insanüstü bir gayret sarf etmişti. Sarayın bahçesine girdiği vakit bitkinlikten ayakta duracak hâli bile kalmamıştı. Oradaki otların üzerine düştü, baygınlıkla uyku arası kımıldamadan yattı kaldı. O sırada Mihrimah Sultan, dadısı ile birlikte bahçede dolaşırken Rüstem'i gördü. Birdenbire bu çok yakışıklı delikanlıya karşı gönlünde derin bir muhabbet belirdi.

– Bu delikanlı acep kim ola? diye dadısına sordu. Dadı Rüstem'in gömleğinin arasından ucu görünen nameyi çekip çıkardı.

– Padişah babanızdan bir nâme. Veziriazam hazretlerine gönderilmiş.

Mihrimah Sultan mührü bozmadan dikkatle zarfı açtı. İçindekileri okuyunca gözleri fal taşı gibi açıldı. Mektupta şu satırlar yazılıydı:

"Vezirim, on dokuz yıl önce öldüremediğimiz çocuğu yeniden buldum. Sana bu mektubu getiren odur. Derhal kendisini idam et. Ben geldiğimde bütün işleri hallolmuş bulayım."

Kızcağız babasının bu kadar zalim olabileceğini kabul edemiyordu. Baygın yatan bu insan on dokuz yıl önce herhalde yeni doğmuş bir bebekti. O sırada herhangi bir suç işlemiş olamazdı. Karar verdi, bu delikanlıyı nahâk yere öldürülmekten kurtaracaktı. Koşa koşa dairesine çıktı. Babasının yazısını ustalıkla taklit ederek bir kâğıda şu satırları yazdı:

"Bu mektubu getiren delikanlı, harpte çok büyük yararlılıklar göstermiştir. Kendisini paşa yapınız ve kızım Mihrimah Sultan'la evlendiriniz. Ben geldiğimde bütün işler hallolmuş

21

olsun." Sonra yazdığını zarfa itina ile yerleştirdi. Rüzgâr gibi odasından çıkıp Rüstem'in yanına geldi. Dadısı heyecanla onun başında bekliyordu. Mihrimah nâmeyi delikanlının ceketinin göğsüne yerleştirir yerleştirmez dadısı ile birlikte acele ile oradan uzaklaştı.

Saatlerce uyuyan Rüstem kendine geldiği vakit, akşam olmak üzereydi. Hemen yerinden davrandı. Veziriazamın katına çıkıp nâmeyi öpüp başına koyduktan sonra ona teslim etti.

Vezir mahut satırları okuyunca Rüstem'e büyük bir hürmet gösterdi. Hemen ona sarayda bir daire hazırlattı. Emrine uşaklar tahsis etti. İstirahat için elinden geleni yaptı. Ertesi gün Rüstem'e özel törenlerle paşa rütbesi verildi. Delikanlı sırmalı elbiseler içinde Zeliha'nın Yusuf'undan bile daha yakışıklı olmuştu. Alelacele düğün hazırlıkları tamamlandı. Şeyhülislam Hazretleri, Mihrimah Sultan ile Rüstem Paşa'nın nikâhlarını kıydı. Aradan aylar geçti. Evleneli seneyi de geçti. Mihrimah Sultan'ın bir oğlu oldu.

Bu zaman zarfında hünkâr savaşlarda olduğu için hiçbir şeyden haberi yoktu. Nihayet savaş zaferle bitti. Hünkârın ordusu ile birlikte İstanbul'a varmak üzere olduğu haberi geldi. Karşılama hazırlıkları yapıldı. Ve kale kapısından öteye karşılayıcılar çıktılar. Bu arada sırmalı elbiseleri ile Rüstem Paşa ve veziriazam da saray muhafızları ile birlikte Hünkâr'ın yanına vasıl oldular.

Padişah Rüstem'i o hâlde görünce kaşlarını çattı ve hiç iltifat etmedi. Lalasıyla yalnız görüşmek istediğini bildirdi. Halvet olunca:

– Bire lala, bu senin yaptığın nedir? Bunun kafasını kes diye haber gönderiyorum. Sen onu paşa yapıyorsun.

Veziriazam şaşkınlıkla cevap verdi:

– Devletlum! dedi. Bana gönderdiğiniz mektupta Rüstem'le Mihrimah Sultan'ı evlendirmemi ve harpte yararlılıklar gösterdiği için paşa rütbesi ile kendisini taltif etmemi emreylemişsiniz.

Padişah öfke ve heyecanla bağırdı;

– Ne! Mihrimah'la Rüstem evlendiler mi?

– Evet Efendimiz. Şimdi nur topu gibi bir de oğulları var.

– Olan oldu. Çöpçatanın çattığını ben bile bozamadım desene.

Gelgelelim padişah Rüstem'e düşman olmuştu. Yol boyunca ağzını açıp ona bir çift kelam söylemedi. Biçare delikanlı her şeyden bihaber olduğu için bu vaziyete şaşmıştı. Saraya dönünce Mihrimah Sultan'a dert yandı:

– Padişah babanız sanki bir kabahat işlemişim gibi bana garaz durur. Yüzü gülmez.

– Paşam, siz keder edip üzerinize alınmayınız, dedi zevcesi. Büyük başın derdi büyük olur. Kim bilir ne için üzülüyordur!

Günler gelip geçiyor, padişah Rüstem'e her fırsatta hakaret ediyor, surat asıyor, olmadık emirler veriyordu. Rüstem bütün bunlara dunyalar güzeli sevgili karısının hatırı için tahammül ediyor, derdini akşam eve döndüğü zaman unutmaya çalışıyordu. Böylece aradan dört sene geçti. Bir süredir Rüstem, Mihrimah Sultan'ın yanına çok geç gelmeye başlamıştı. Sultan Hanım kocasının üzüntüsünü bildiği için uzun zaman buna ses çıkarmadı. Fakat nihayet dayanamayıp sordu:

– Paşam neden akşamları beni çok bekletirsin?

Rüstem gülümseyerek:

– Sultanım! dedi. Sizin isminize bir cami yaptırıyorum. Gördüğünüz zaman inşallah beğeneceksiniz.

Hakikaten Mihrimah Sultan Camii, Üsküdar sahillerini bir inci gibi süsledi. Caminin açılacağı gün Mihrimah Sultan hazırlandı, süslendi, artık dört yaşına gelen oğlunu giydirdi. Padişah ve vüzera da teşrif edeceklerdi. Saltanat kayıkları ile karşıya geçtiler. Bu sırada Mihrimah Sultan'ın oğlu mızmızlanıyor, yaramazlık ediyordu. Padişah çocuğun yaramazlığından şikâyet etti. Senelerin biriktirdiği hıncı bir anda çıkarırcasına:

– Ne olacak, dedi. Rüstem'in oğlu bu kadar olur. Bir çoban parçası sultana koca olur mu hiç? Kim bilir o mektubu kim değiştirdi de zürriyetimi bozdu? Rüstem şaşkınlıkla:

– Hangi mektubu? diye sordu. Padişah;

– Bilmezlikten mi geliyorsun? Sana Edirne'de verdiğim mektup, lalama verdiğin mektup değildir.

Rüstem hayretle düşüncelere daldı. İlk evlendikleri sırada bir gün Mihrimah Sultan, onu ilk defa bahçede uyurken görmüş olduğunu ağzından kaçırmıştı. Birden paşanın zihninde bir şimşek çaktı. Bir anda bütün hakikati kavradı. Demek bebekken kendisini ölümcül yaralayan adam buydu. Öyle ya, mücevher saplı hançer, ancak padişahlara lâyık kıymette bir sanat eseriydi.

Padişah devam etti:

– Rüstem! Davar sürücüsü! Şu veledi sustur artık. Ya Rabbi neden kanıma zebil karıştırdın? Böyle torunum olmaz olaydı.

Rüstem o an cinnet getiriverdi. Yanından hiçbir vakit ayırmadığı malum kıymetli hançeri, yıldırım hızıyla havaya kaldırdı ve biçare oğlunun göğsüne sapladı. Çocuk o an can verdi. Rüstem:

– Al Sultanım. Dediğin oldu. Allah verdiğini geri aldı. Senin yazdığın mektubu değiştiren ben değildim, dedi. Kimsenin bir şey söylemesine fırsat vermeden de oradan uzaklaştı.

Yavrusunun üzerine kapanıp hıçkıran Sultan Hanım, acısının verdiği derin ıstırapla haykırdı:

– Mektubu değiştiren benim baba. Yahut, hayır. Ben değilim kader. Sen padişahsın ama unutma senden büyük Allah var. Gururlanıp O'na karşı mı geliyordun? Bir masumun canına sebep oldun. Gururundan küçük dağları kendin mi yarattın sanıyorsun? Bir masumu, evlât katili ettin. Benim ciğerimi yaktın. Eline geçen ne? Bu mabedi de kirlettin.

Bu hadiselerden sonra padişahın aklı başına geldi. Rüstem'i sadrazam yaptı. Ama vicdanındaki ağır yük bir an bile olsun hafiflemedi.

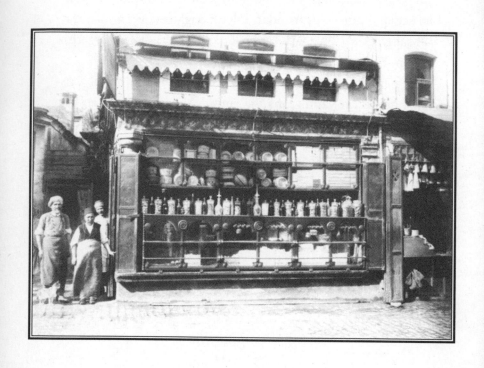

Kuyumcunun Sırrı

Vaktiyle İstanbul'da adil bir padişah vardı. Bir gün tebdil kıyafet gezmeye çıktı. Bir ara Kapalı Çarşı'daki kuyumcular sokağından geçiyordu. Çarşının kapanma saati yaklaşmıştı. Dükkânların birinden bir kuyumcu çıktı. Kapısının önünde elindeki tunç havana iki üç tane elmas attıktan sonra, bunları dövmeye başladı. Elmaslar toz hâline gelince havanın içindekini avucuna döktü ve elmas tozlarını komşu dükkânlara doğru püf diye üfledi. Sonra da dönüp dükkânının kepenklerini indirdi, çıktı gitti.

Bu hareket padişahın nazarı dikkatini celbetti. Saraya döndükten sonra düşündü taşındı fakat gördüklerine bir mânâ veremedi. Birkaç defa çarşıdaki esnaflara haber gönderdi. Lâkin kimse bir şey bilmediğini söyledi. Bunun üzerine padişah üçüncü vezirini huzuruna çağırttı.

– Oğlum! dedi. Kapalı Çarşı'da her akşam elmasları havanda dövüp tozunu sokağa üfleyen bir kuyumcu var. Git, onun sırrını öğren. Sana kırk gün müsaade, öğrenemezsen boynunu vurdururum haberin olsun. Çok merak ettim bu işi.

– Ferman efendimizin, deyip huzurdan ayrıldı vezir. Doğru Kapalı Çarşı'nın kuyumcular sokağına gidip elmas üfleyen kuyumcuyu buldu. Padişahın fermanını söyledi. Eğer sırrını vermezse kafasının elden gideceğini, hayatının buna bağlı olduğunu dili döndüğü kadar anlattı. Yalvardı yakardı. Bunun üzerine kuyumcu:

– Zindan kapısında bir ayakkabı eskicisi vardır. Adam iğneyi köseleye batırıp çekeceği zaman "Hay!" diye bağırır. Git onun sırrını öğren. Gel bana söyle. Ben de sana kendi sırrımı açayım. Yoksa dünyada sırrımı kimseye söylemem.

Vezir "Peki" deyip doğru zindan kapısındaki kundura eskicisini bulmaya gitti. Arayıp sorduktan sonra nihayet adamı buldu. Hakikaten eskici iğneyi köseleden çıkarırken "Hay!" diye bağırıyordu. Selam verip oradaki hasır iskemleye oturan vezir hoşbeşten sonra, padişahın fermanını ve kuyumcunun arzusunu anlattı. "Eğer" dedi. "Sırrını söylemezsen boynumu vuracaklar, hayatım senin elinde."

Bunun üzerine kunduracı:

– Beşiktaş Camii'nde bir müezzin vardır, dedi. Birisi ona "Selamun aleyküm" der demez, hemen minareye tırmanıp vakitli vakitsiz demeden bir ezan okur. Ondan sonra minareden iner, karşılık olarak "Aleyküm selam" diye cevap verir. Git onun sırrını öğren, bana bildir. Ben de sana kendi sırrımı anlatayım.

Vezir çaresiz "Pekâlâ" dedikten sonra doğru Beşiktaş Camii'ne gitti. Müezzini buldu. Adama "Selamün aleyküm" diye selam verdi. Adam hemen veziri orada bırakıp minareye tırmandı. Bir ezan okuduktan sonra aşağıya indi. Vezirin selamına "Aleyküm selam" diye cevap verdi. Hoşbeşten sonra vezir, padişahın fermanını, kuyumcunun dediğini ve kunduracının istediğini anlattı. "Eğer" dedi, "şu sırrını bana söylemezsen kellem elden gidecek. Hayatım sana bağlı."

Müezzin vezirin hâline acıdı. "Peki" dedi. "Yatsıdan sonra gel sana anlatayım." Nihayet yatsı oldu. Vezir müezzinin evine gitti. Kahveler içildikten sonra müezzin hikâyesine başladı.

– Bir akşam vaktiydi. Arkadaşlarımdan biri beni ziyarete gelmiş. "Selamun aleyküm" dedi. Cevap versem ezan vakti kaçacak. Hemen minareye tırmandım. Ezana başladım. O sırada ne olduysa oldu kendimi yedi kat göğün üzerinde, cennete buldum. Orasını dil ile tarif mümkün değildir. Billurdan yapılmış bir köşkte idim. Huri kızları hizmetime bakıyordu. Kızlardan biri çok güzeldi. Elimi kıza uzattım. Kız "Yapma! Yoksa fena olur!" dediyse de onu dinlemedim. Yine kıza elimi uzattım. Üçüncüsünde kendimi minarenin üzerinde buldum. Çok pişman oldum. Ama iş işten geçti. Şimdi kim "Selamun aleyküm" dese selamı almadan minareye çıkıp ezan okuyorum. Belki affederler de beni yine yukarı alırlar diye.

Vezir, müezzine dua ederek ertesi gün kunduracıya gitti. Müezzinin sırrını ona anlattı. Bunun üzerine kundura eskicisi de kendi sırrını söyledi.

– Ben vaktiyle memleketimde çok kazanan, iyi bir kunduracıydım. Kimim kimsem yoktu. Konu komşu birlik olup beni dul bir kadınla evlendirdiler. Kadın hem genç hem de çok güzeldi. Üstelik pek hanım kadındı. Yalnız garip bir huyu vardı. Hiç yemek yemezdi. O yesin diye nadide yemişler, turfanda sebzeler alırdım. Lâkin gayretlerim nafileydi. Akşam eve gelince mükellef sofranın başına otururduk. O, "Ben tokum, iştahım yok" diyerek ağzına bir lokma koymazdı. Her yemekten sonra bana gül şurubu ikram ederdi. Ben de çok hoşlanarak bunu içer, ondan sonra da derin bir uykuya dalardım. Böylece aradan tam üç sene geldi geçti. Bir gün şeytan beni dürttü. Kendi kendime "Şu gül şurubunda bir iş var" diye düşündüm. Düşündüm ya, "Bu sefer gül şurubu içmemeyim bakayım ne olacak" dedim. Ertesi akşam karım görmeden gül suyunu saksıya döktüm. Biraz sonra da "Uykum geldi hanım, yatağımı ser" diye esnedim.* Kadın sessiz sedasız yatağımı serdi. Çok geçmeden uyku taklidi yapmaya başladım. Bir müddet sonra hanım geldi, ayağımın altına bir iğne soktu. Sonra da yeldirmesini** omuzlarına atarak bahçeye çıktı. Tabii ben de peşinden. Duvardan yandaki bahçeye, oradan bir başka bahçeye atlayarak az gitti uz gitti. Nihayet tam gece yarısı mezarlığa geldi. Yeni kazılmış bir mezarı elleri ile açtı. Dehşetten donakalmıştım. Yeni ölmüş cesedin göğsünü paraladı. Ciğerlerini çıkarıp yemeye başladı. Zahir geçmiş zamanda ölen kocasının ciğerlerini de böyle çiğ çiğ, çatır çutur yemişti.

Az daha orada ölüyordum. Ertesi gün karıyı boşadım. Fakat kurdukça kuruyor, o sahneyi gözümün önünden silemiyordum. Perişan oldum. Dükkânı, tezgâhı, malı, mülkü satıp, İs-

---

* Yakın zamanlara kadar, (hatta hâlâ) birçok Anadolu evinde insanlar karyolada yatmazlardı. Yünden yahut pamuktan yapılmış şilteleri üst üste yığarlar, onların üstüne de kılıfları kanaviçe işlemeyle süslü iki kişilik yastıkları koyarlardı. Bu yüklüğün üstünde de düzgün bir tahta vardı ki buna *musandıra* derlerdi. Onun üzerine de kutular bavullar vs. konurdu. Yatma vakti gelince bu şilteler uygun mekânlarda yere serilir; çarşafı, yastığı, yorganı konur ve uykuya yatılırdı. Bu tarz, mekânda genişlik sağlıyor, uyumak için yatak odalarına ihtiyaç kalmıyordu.

** yeldirme: o devirde hanımların sokak kıyafetine verilen isim.

tanbul'a geldim. Hâlâ aklım duracak gibi oluyor. Es kaza ben öl-
seydim demek benim ciğerlerimi de yiyecekti. Her iğneyi çekiş-
te bu aklıma geliyor. Onun için öğle "Hay!" diye bağırıyorum.

Vezir bu korkunç hikâyeyi dinledikten sonra, kunduracı-
ya sabırlar dileyerek kuyumcunun dükkânının yolunu tuttu.
Kuyumcu veziri görünce onu akşam kendi evine davet etti.

Akşamleyin vezir kuyumcunun evine gitti. Kahveleri içip
hoşbeş ettikten sonra, kunduracının sırrını anlattı. Bunun
üzerine kuyumcu da kendi sırrının hikâyesine başladı:

– Benim babam hâli vakti yerinde, çok zengin bir kuyum-
cuydu. Çok hastalandığı bir sırada beni başucuna çağırdı.
"Yavrum artık ihtiyarladım. Vasiyetimi dinle ve her ne paha-
sına olursa olsun yerine getir. Ben öldükten sonra etrafını dal-
kavuklar saracaktır. Senin elinde avucunda ne varsa yiyecek
ve işleri bitinceye kadar sana dost görüneceklerdir. Lâkin pa-
ran bitince kimse sana yardım etmeyecek. Bir lokma ekmeği
bile arayacaksın. O zaman gelince bu evle dükkânı zinhar sa-
tayım deme. Evin içi tam takır kuru bakır kalsa yine de bun-
ları satışa çıkarmayacaksın. Eğer bu nasihatime rağmen o hâ-
le gelirsen diye şu tavana bir halka yaptırdım. Kendini oraya
as. Daha iyi olur" dedi.

Ben de vasiyetini tutacağıma dair ona söz verdim. Çok
geçmeden rahmetli vefat etti. Ve onun söyledikleri bir bir ha-
kikat olmaya başladı. Esnaflar başıma toplandılar. "Sen çok sı-
kıldın gel seni kahveye götürelim" dediler. Olmaz dediysem
de dinlemeyip ısrar ettiler. Kahveye gide gide önce iskambil
oyunlarına, sonra da kumara alıştım. Bunu içki âlemleri takip
etmeye, sonra da bu âlemlere kadınlar gelmeye başladı. Ben
zengin olduğum için bütün masraflar benden çıkıyordu. Hazı-

ra dağ mı dayanır? Bu sıcağa kar mı dayanır? Nihayet elimde avucumda ne varsa bitti. Evde ne halı kaldı ne kerevet, hepsi satıldı. Muztar vaziyette kalınca utana sıkıla, kendisine pek ziyade iyiliklerim dokunan bir esnaftan beş kuruş borç istedim. Bana ne dedi biliyor musunuz?

– Aa! Üzerime iyilik sağlık. Biz senin için mi para kazanıyoruz? Adam olaydın da paranı tutaydın.

Ben açım, annem aç. Oradan çıkıp başkasına gittim. Hülasa bütün dost bildiklerimi teker teker ziyaret ettim. Hepsinden de aynı muameleyi gördüm. Kendi kendime "Ah babacığım! Bana olacakların hepsini önceden söylemişti" dedim. Eve gözyaşlarımı içime akıtarak girdim. Belki satılacak bir şey bulurum diye her tarafı kolaçan ettim. Ne gezer. Evde sağlam bir urgandan başka hiçbir şey bulamadım. Kararımı vermiştim. Anneme komşuya gitmesini söyledim. Hava soğuk, ev buz gibiydi. Kadıncağız bunu canına minnet bilerek komşunun sıcacık evine ziyarete gitti. Ben de urganı halkadan geçirip ucunu ilmek yaptıktan sonra boynuma geçirdim. Üzerine çıktığım gaz tenekesine tekmeyi vurunca havada sallanıp kaldım. Fakat bu hâl çok sürmedi. İp koptu. Kendimi yerde buldum. Bir müddet kendimi şaşkınlıktan kurtaramadım. Zira ilk anda zannettiğim gibi ip kopmamıştı. Burgunun üzerine raptedilmiş olan kapak açılmış ve birkaç büyük torba yere düşmüştü. Kendime gelince torbaları yokladım. Ağzına kadar altın doluydu. Tavandaki deliğe tırmandım. Bu torbalardan yüz tane daha vardı. Meğer babamın bana ilk anda bıraktığı miras, bunların yanında binde bir kadar bir şeymiş. Hemen çarşıya çıkıp kılığı kıyafeti düzdüm. Eve eskisinden daha iyi eşyalar alıp bir güzel döşedim.

Tam takır kalmış dükkânı da elmaslar, yakutlar, zümrütler ve altın bileziklerle doldurdum Annem komşudan dönünce gözlerine inanamadı. Birbirimize sarılıp babacığımı hasretle anarak ağlaştık. Çok geçmeden iyi bir kızla mesut bir izdivaç da yaptım. Şimdi dalkavuklara yedireceğim kadar para değerindeki elması havanda dövüp tozlarını dost bildiğim nankörlerin dükkânlarına doğru üflüyorum ki gözleri kör olsun. İşte Vezir Efendi, benim sırrım da bu kadar.

Vezir ertesi gün padişaha bu sırları anlattı. Padişah da ona birçok ihsanlarda bulunduktan başka kendisini ikinci vezir yaptı. Onlar ermiş muradına...

Kuru Karı

Vaktiyle Aksaray'da Şekerci Sokağı'nda bir imam efendi yaşardı. Bu adamcağızın hanımı zayıf bir hanımdı. İmam efendi ise şişman hanımlardan hoşlanır, şişman kadınları beğenirdi. Hanımını şişmanlatmak için kendisi de eşi de ne kadar gayret sarf ettilerse de kadıncağız bir türlü şişmanlayamamıştı. Birkaç kere hanımını boşamaya teşebbüs ettiyse de kıyamadı. Zira hanımı gayet nazik, halim selim ve çok hamarat bir kişiydi.

Gelgelelim imam efendi karısının zayıf olmasından dolayı ona karşı bir türlü nazik olamıyordu. Kaba saba kelimeler kullanarak hırsını kadıncağızdan çıkartıyordu. Hanımdan bir bardak su istese:

– Kuru karı, bir bardak su ver! Karnı açıksa:

– Kuru karı, karnım acıktı yemek hazırla! demekten kendini alamıyordu. Velhasıl "kuru karı" aşağı, "kuru karı" yukarı, günler böyle geçip gidiyordu. Bu vaziyet de kadıncağızın çok gücüne gidiyordu.

Derken efendim günlerden bir gün imamın hanımı Aksaray'daki Horhor Hamamı'na gitti. Tam kurnasını temizleyip yıkanacağı sırada, yanındaki kurnada tombul bir hanımın yıkandığını gördü. Yıkanmasını unuttu boyuna kadına bakmaya başladı. "Ah ne olurdu ben de böyle şişman olsaydım da imam efendi bana 'kuru karı' demeseydi" diye düşünüp duruyordu. Tombul hanım yıkandı, keselendi, sabunlandı. Kuru karı hâlâ başına bir tas su dökmeyip şişman hanıma bakıyordu. Bu hâl şişman hanımın nazarı dikkatini çekti. Dayanamadı:

– Kızım sen buraya yıkanmaya gelmedin mi? Görüyorum ki daha başına bir tas su dökmemişsin. Hep bana bakıyorsun. Sebebi nedir? diye sordu. Adamakıllı kızmış görünüyordu. Kızılmayacak gibi değil ki! Kuru karı gayriihtiyari ağlamaya başladı:

– Sizi tombul gördüm. Ben ne kadar uğraşırsam uğraşayım hep böyle zayıf yapılıyım. Eğer sizin gibi şişman olsaydım kocam bana her lafın başında "kuru karı" demezdi diye düşünüyordum. Dalmışım, hamamda olduğumu bile unutmuşum, deyince şişman hanımefendi kadıncağızın hâline acıdı.

– Dur, dedi. Ben senin kocana bir oyun oynayım da bir daha sana "kuru karı" demesin.

Kadıncağız:

– Aman sahi mi söylüyorsunuz? diye hayretle sordu.

– Sahi söylüyorum. Şimdi sana öğreteceklerimi iyi dinle. Ne dersem onu yap. Eve gidince akşam beni kocana elinden geldiği kadar çok methedersin. "Dul bir hanımmış, dindar bir adam bulursa evleneceğini söyledi. İstersen onu sana alayım" dersin. Razı olursa vay hâline. Pabuçsuz kaçar vallahi.

– Allah razı olsun hanımcığım.

Şişman hanım imamın karısına kendi ev adresini verdi.

– Sarıgüzel'de merhum Nail Paşa'nın hanımefendisiyim. Kıztaşı'ndaki meşhur helvacıya sorun. Konağımı gösterirler.

Bu muhabbetten sonra iki ahbap ayrılıp "kuru karı" evine, şişman hanımefendi de konağına gitti.

Akşam olunca "kuru karı"nın kocası eve geldi. Üstünü değiştirip ev entarisini giyip takkesini de başına koyarak köşesine kurulunca:

– Kuru karı! diye seslendi. Kahvemi getir.

Hanımcık çoktan hazırlamış olduğu kahveyi efendinin eline tutuşturdu. İmam efendi kahvesini höpürdeterek bir yudum aldıktan sonra:

– Eeee bugün ne yaptın bakalım "kuru karı", anlat, deyince hanımı:

– Ne yapayım efendiciğim Horhor'daki hamama gittim. İçeri girip kurnamı temizledim. Tam o sırada bir de ne göreyim? Tombul mu tombul, şişman mı şişman, ay parçası nur parçası, genç bir hanımefendi bitişik kurnada yıkanmıyor mu? Ağzım açık hayran hayran kadıncağıza bakakalmışım. Sonra ahbap olduk. Sarıgüzel'de oturuyormuş. Merhum Nail Paşa'nın hanımefendisiymiş. Yalnızlıktan şikâyet etti. Şöyle aklı başında, dindar bir efendi bulursam evlenebilirim, diye bana gönlünü açtı. Aman efendim o ne güzellik! Keman gibi kaşlar, üzüm gibi kara gözler, kiraz gibi dudaklar. Hele o gerdanına hayran kaldım. Vallahi kocacığım, biliyorum sizin sevdiğiniz istediğiniz gibi şişman bir hanım değilim. Arzu ederseniz bu hanımı size alıveririm, deyince imam efendi:

– Aman hamım deme? Acaba o hanımefendiyi istesek bana varır mı?

– Aaa o ne biçim bir söz efendiciğim? Senden iyisini mi bulacak. Bana dindar bir adamla evlenmek istediğini söyledi.

– Öyleyse bana izin ver de Allah'ın emriyle o hanımı nikâhıma alayım.

– Eh efendi, madem istiyorsun al.

Ertesi gün "kuru karı", hanımefendinin konağına gidip Allah'ın emriyle kadını kocasına istedi.

Tombul hanımefendi, "Bu perşembe nikâhımız olsun" diye imamın evine haber gönderdi. Bunun üzerine imam çıkarıp on lira parayı* nikâh masrafı yapsın diye hanımefendiye gönderdi. Nihayet nikâh kıyıldı. İmam efendi zifafa gireceği gece hanımefendi bütün uşak ve hizmetçileri konaktan izinli gönderdi. Kimseyi bırakmadı. Sonra kalkıp sinameki içti. Akşam imam efendi güvey geldi. Kapıyı çalınca hanım pencereden anahtarı attı. Adam yolu bilmediği için öksürüp tıksırıyordu. Fakat hanımefendi oralı olup da yeni kocasını karşılamıyordu. Nihayet imam, hanımefendinin bulunduğu odaya girip bir köşeye oturdu. Baktı ki hayran olduğu bu tombul kadın, hakikaten ay parçası gibi.

Kadın:

– Affedersiniz efendi. Sizi karşılayamadım. Şişman olduğum için ortalıkta fazla gezinemiyorum, dedi.

İmam:

– Ziyanı yok hanımefendiciğim, deyince hanımefendi:

– Efendi, evden hizmetçi kızları savdık. Bari bir fincan kahve pişirin de içelim, dedi.

İmam efendi "peki" diyerek kahve pişirmek için yerinden kalktı. Hâlbuki kendi evinde bir çöpü bile kaldırmazdı.

Kadın:

– Fincanlar rafın üstünde, diye seslendi.

---

* O devirde en küçük para birimi metelikti. Yüz metelik on para ediyordu. Dört on para da bir kuruş ediyordu. Yüz kuruş ise bir mecidiye ediyordu. Lira birimi ondan daha yüksekti.

İmam rafa bakınca bir de ne görsün? Bir tek temiz fincan yok. Fincanları yıkayacak, muslukta ise bir dirhem su yok. Hanımefendi tekrar seslendi:

– Aaa efendi! Bahçede kuyu var. Bir kova su çek de musluğa doldur. Ben şişman olduğum için fazla gezinemem ki bu işleri yapayım, dedi.

Adamcağız cübbesini toplayıp yüz ayak merdiveni indi. Araya araya bahçenin öbür ucundaki kuyuyu buldu. Buldu ama ne ipi var ne kovası. Tekrar yüz ayak merdiveni çıktı. Hanımefendiye durumu anlattı. Kadın:

– Aa! Kör olası kızlar, diye söylendi. İpi hangi kilere attılar kim bilir? Ah bu şişmanlık. Gezinemem ki. Size de zahmet oluyor ama....

Neyse adam bin güçlükle ipi ve kovayı bulup suyu getirdi. Kan ter içinde fincanları yıkadı. Baktı ki bu sefer de ateş yok. Kadına bu durumu söyleyince kadın:

– Aaa! İlahi efendi. Ondan kolay ne var? dedi. Mutfağa gidip mangalda ateş yakıverin.

İmam oflaya poflaya mutfağa girdiği sırada güm güm kapı çalındı. Kadın:

– Kim o! Ah efendi, ah efendi! Ben şişmanım bakamam. Kapıya gıdıver.

İmam efendi gümbür gümbür merdivenlerden indi.

– Kim o?

– Ben bakkal. Yağ, pirinç, tuz getirdim. Buyurun bunları alın da yukarı çıkarıverin, dedi. İmam bunları mutfağa götürdüğü sırada kadın:

– Ah midem de çok kaynadı. Bir kahve içeydim bari, deyince İmam efendi tekrar mutfağa indi. Bir de ne görsün? Tepeleme kül! Hanımın yanına geldi.

– Hanım, mangal kül dolu, deyince kadın:

– Ne olacak ayol? Külü ocağa döküvereydin. Sonra kömür-
lükten de odun kömürlerini al, diye cevap verdi.

İmam efendi bu sefer kömürlüğü aradı. Kibrit bulamayın-
ca aşağı mahalledeki bakkaldan kibrit almaya gitti. Bin bir güç-
lükle mangalı yaktı. Tam gidip kahveyi yapacakken güm güm
kapı çaldı. İmam efendi, hadi aşağıya koşup kapıyı açınca ka-
sabın çat kapı pirzolayı getirdiğini gördü. Hadi onları alıp yu-
karıya çıktı, bu sefer kadın seslendi:

– Aman bey! Koş, lazımlığımı getir. Karnım kopuyor.

İmam lazımlığı getirdi. Bu sefer hanım taharet alacak su
bulamadı. İmam tekrar su için bahçeye çıktı. Velhasıl sabaha
kadar lazımlık taşımaktan; durmadan gelip eve öteberi getiren
bakkala, çakala, esnafa kapıyı açmaktan canı çıkan imam: "Be-
ni bu dertten kurtar Hz. Allah!" diye bağırdıktan sonra hanı-
mefendiye üç kere boş ol deyip boşadı. Soluğu "kuru karının"
yanında alıp onun dizlerine kapandı.

– Şişman kadını boşadım. Sen benim başımın tacısın,
dedi. Bir daha da hanımına kötü laf söylemedi. Mesut bahti-
yar yaşadılar.

Sultan Mahmut İle Türk Mehmet

Osmanlı İmparatorluğu'nun halkı değişik ırk ve cemaatlerden oluşuyordu. Bunlar arasında Müslüman olanlar, Türk,* Kürt, Laz, Arnavut, Acem, Arap diye vasıflandırılırdı. Bunların şivelerini taklit etmek, İstanbul lehçesinden ayrı söylemleri dillendirmek, hanımlar arasında güldürü vesilesiydi. İstanbullular doğru dürüst Türkçe konuşamayanları kim olursa olsun makaraya alırlardı. Hele o kişi bir de mevki sahibi olmuş ise ve buna rağmen Türkçe'yi bozuk konuşuyorsa, hakkında "dilini eşek arısı soksun" diye tan ederler, onu ayıplarlardı. İşte bu dönemlerde Mehmet adında bir Türk, memleketinden kalkıp para kazanmaya İstanbul'a geldi. Bir muhallebicinin yanına çırak olarak girdi. Muhallebi tabaklarını kocaman bir siniye istif ediyor, sonra bunu kafasının üzerindeki yün simide oturtarak seyran yerlerinde satmaya götürüyordu.

* Hz. Mevlânâ devrinden Osmanlı İmparatorluğu'nun çöküşüne kadar "Türk" kelimesi saf cahil, kaba manasına geliyordu. Mesnevî'de de böyle kullanılmıştır. "Osmanlı" kelimesi de çokbilmiş, politikacı, sözünü geçiren manasına gelir.

Mehmet bir gün yine muhallebi satmaya Kâğıthane'ye gitmişti. Kalabalığın arasında dolaşıp dururken aklına memleketi geldi. Burnu sızladı. "Ah! Acep şimdi Ayşe gız ne yapıyo ki?" diye düşündü. Ayşe kız Mehmet'ın yavuklusuydu. Mehmet "Sarıca liralar kazansam" diye hayal kurmaya devam etti. "Efendiler gibi sırtuma bir redingot giysem. Cebime gümüş köstekli bir saat alsam. Gafama iyi kalıplanmış bir fes geçirsem. Ayşe'gillerin kapısının önünde caka ile beş aşağı, beş yukarı dolaşsam. Ayşe gız beni görüvese. Gafasını pencereden uzatsa, 'Pışt! Mehmet hele buraya bak! Baksana buraya' diye seslenivese. Ben de 'Ya! Ah!' diye gafamı sallasam."

Mehmet işte tam burada hayallerinden ayıldı. Zira Ayşe kıza "Ya! Ah!" derken kafasını hızla sallamış, başındaki tepsi şangır şungur yere devrilmiş, içinde ne varsa paramparça olmuştu. Delikanlı vaziyeti görünce yere çömeldi. Başını elleri arasına alarak hüngür hüngür ağlamaya başladı. İşinden kovulacağına mı yansındı, ustasından yiyeceği köteğe mi?

O sırada tebdil kıyafet dolaşan Sultan Mahmut, Mehmet'i gördü. Hâline acıdı, yanına gelerek:

– Oğlum! dedi. Niçin böyle hüngür hüngür ağlıyorsun? Mehmet kafasını kaldırıp bu asil yüzlü, iyi hâlli efendiye baktı.

– Ah beyim ah! dedi. Ben ağlamayayım da kimler ağlasın? Şu muhallebi sinisini gafama gomuş buralarda dolaşıyordum. Aklıma Ayşe gız gelivemez mi?

– Ayşe kız da kim?

– Kim olacağ? Yavuklu. Haa! Ne deyordum? Aklıma Ayşe gız gelivedi. "Ahh!" dedim gendi gendime. Sarıca liraları gazansam da memlekata geçsem. Üzerimde efendiler gibi redingot, gafamda fes olsa. Cebime de gümüş göstekli saat takıvesem, ayağıma ökçeli papuçladan geysem. Ayşe'gillerin gapısının önünde beş aşağı beş yukarı cakayla dolaşsam. Ayşe gız beni görüvese "Memet hele bir bakıve!" diye seslenivese. Ben de "Ya! Ah!" desem.

İşte böyle bey. "Ya! Ah!" dedim emme, gafamın üstündekiler gırılı gırılıvedi. İmdi ben ne halt edicem? Ustam beni pataklağ pataklağ da galdırımın üstüne fırlatıveriğ.

Sultan Mahmut gülmemek için dudaklarını sıkarak:

– Peki peki. Ağlama! Al şu altını. Götür ustana ver. Artık ustan seni dövmez.

– Hay Allah bereket vesin! Uzun ömürleğ vesin! Senin adın ne?

– Mahmut.

– Nerede oturuyon?

– Beşiktaş'ta. Dolmabahçe'de. Beni Koca Mahmut diye kime sorsan sana gösterirler.

– İyi iyi. Seni pek sevdim. Yarın arar evini bulurum.

– Ben de seni sevdim. Gel buyur. Beklerim.

Böylece Mehmet'le Mahmut birbirlerinden ayrılıp yollarına gittiler. Ertesi gün Mehmet doğru Dolmabahçe'ye geldi. Sarayın kapısındaki nöbetçiye:

– Koca Mahmut'un evi niresi? Gösterivesene, dedi.

Padişah önceden bütün adamlarına haber vermiş ve "Beni Koca Mahmut diyerek birisi ararsa kim olursa olsun zinhar incitmeden huzuruma getiresiz" demişti. Onun için nöbetçi büyük bir nezaketle Mehmet'e:

– Burası, diye cevap verdi.

İzzet ikram Mehmet'i içeri aldılar. Saraya girince ayakkabılarını çıkartmasını söylediler. Mehmet saf hâliyle çarıklarını çıkarıp koltuğunun altına soktu. Papuçlarının çalınmasından korkuyordu. Topukları meydana çıkmış kirli çorapları, perişan üstü başıyla salonlardan geçerken durup alık alık etrafa bakıyor, kristal avizelerin camlarını elleyip onları sallayarak kahkahayı basıyordu. Yol gösteren adam:

— Haydi yürüsene! diye ikaz edince;

— Ne garışıyon? Bi yol bakacağım hepsine. Hele bunları da göreyim, diye sertleniyordu.

Nihayet padişahın huzuruna girmişlerdi. Seninkinde ne selam ne sabah! Avizelere bakıp bakıp katılıyordu gülmekten. Sultan Mahmut:

— Hâlâ seyrin bitmedi mi Mehmet? diye sordu. Mehmet:

— Doğru söyle Koca Mahmut. Bunları sen mi yaptın yoğusa bubandan mı kaldı?

— Babamdan kaldı.

— Ben de bubandan kaldığını ağnadım. Senin dibinin ağacı değil bütün bunlar.

Sultan Mahmut Mehmet'i konuşturup epeyi güldükten sonra emir verdi. Gelip saf delikanlıyı aldılar. Götürüp hamamda yıkayıp pakladılar. Üzerine redingot, ayağına ökçeli ayakkabı, başına fes giydirdiler. Cebine de gümüş köstekli saati takmayı ihmal etmediler. Padişah Mehmet'i maiyetine aldı. Enderun'da tahsil ettirip adam etti. Bu arada Mehmet memleketine gidip Ayşe kızın evinin önünden geçti. Ayşe kız onu çağırınca "Ya! Ah!" dedi. Sonra onunla evlenip yeniden saraya döndü. Ömrünün sonuna kadar refah içinde yaşayıp mesut oldu. Onlar ermiş muradına.

Ibıbık Çıbıbık

Evvel zamanda Üsküdar'da bir balıkçının oğlu vardı. Son derece güzel bir çocuk olan bu oğlan, senelerce çok sefalet çekmişti. Zira babasını pek küçük yaşta kaybetmişti. Çocuk on beş on altı yaşlarına geldiği vakit, bir gün annesine sordu.

– Anne, babamdan bana hiç miras kalmadı mı?

– Ah evlâdım, senin baban fakir bir balıkçıydı. Nesi olacak? Bir külâhı, bir abası, bir de balık ağları kaldı. Hepsi bu kadar.

– Peki anneciğim. Öyleyse onları bana ver de bir iş sahibi olayım.

Bunun üzerine kadıncağız eski bir sandıktan kocasının külâhını, balık ağlarını ve abasını çıkarıp genç delikanlıya verdi. Çocuk bunları götürüp sattı. Parasıyla on beş yirmi tane ördek aldı. Bunlara pembe mavi gömlekler giydirip, Sultan Tepesi'ne çıkardı.

– Belsi ördekler! Ramazanlık ördekler! diye çığırtkanlık ederek satmaya başladı. Konakların birinde pencere kenarında oturan bir bey, bu fevkalade güzel çocuğa seslendi:

– Oğlum ördekler kaça?

– Tanesi beş kuruş, beyzadem.

– İyi peki. Kapıyı çal da uşağa ver.

– Kaç tane vereyim bey?

– Hepsini ver.

Çocuk kapıyı çaldı. Çıkan uşağa:

– Bey söyledi. Ördekleri içeri al, dedi. Uşak ördekleri aldı. Kapıyı çocuğun yüzüne kapadı. Çocuk bekledi bekledi, baktı ki olacak gibi değil kapıyı çaldı ve ördeklerinin parasını istedi.

– Ne parası? dediler. Bu sefer çocuk pencerede oturan beyfendiye ricada bulundu. Bey:

– Kaç defa aldığımız ördeklerin parasını vereceğiz? Defol şuradan! diye haykırdı.

Biçare çocuk ne kadar yalvardı, ne kadar yakardıysa da derdini anlatamadı. Beş para alamadan akşam ne yiyeceklerini düşünerek evine döndü. Fakat bu hadise onu o kadar üzdü, öylesine hiddetlendirdi ki, ne pahasına olursa olsun o beyden intikam almayı kafasına koydu. "Şu adama bir azizlik yapayım da görsün ördeklerimin parasının üstüne yatmayı" dedi.

Ertesi gün dirseği minderi üstünde, eli şakağına dayalı bir vaziyette otururken, odanın içinde gezinen validesine baktı.

– Anne!

– Efendim.

– Senin hiç eskiden kalma genç, taze işi bir feracen* var mı?

– Bilmem. Haa! Sandıkta galiba öyle bir şey olacak.

– Versene onu bana.

* ferace: Müslüman hanımların elbise üstüne giyilen, geniş kollu, topuklara kadar uzun, çok şık üst giysisi. Feraceli hanımlar, yalnız gözlerini açıkta bırakan, bir kulaktan öbür kulağa burun ve ağzı da kapatan, yaşmak adı verilen bir nevi peçe ile beraber süslü bir başörtü ile ve yine çok süslü bir şemsiye ile bu kıyafeti tamamlarlardı.

– Oğlum, ne yapacaksın feraceyi?

– Ne yapacağımı sonra görürsün.

Çocuk annesinin sandıktan çıkardığı feraceyi sırtına geçirip gayet güzel, cazibeli bir genç kız kıyafetine girdi. Süslenip püslenerek biraz da kırıtarak soluğu Sultan Tepesi'nde aldı. Mahut konağın önünde bir aşağı bir yukarı salına salına dolaşmaya başladı. Bey pencereden bu ay parçası gibi kızı görünce hayran oldu. Kız tam pencerenin önünden geçerken:

– Hişşt! Güzelim, lütfedip azıcık da olsa bu tarafa bakar mısınız? diye seslendi.

Kız, beyin yüzüne nazlı nazlı güldü ama cevap vermedi. Bey:

– Dilberim bize buyurmaz mısınız biraz? Dinlenirdiniz.

Kız yine nazlı nazlı güldü. Sonra gözlerini mahcup bir eda ile yere dikerek:

– Ah beyzadem, gelirim gelmesine ama evde sizden başka insanlar varsa çekinirim.

– Sen emret Sultanım. Ben evde kimseyi bırakmaz, herkesi dışarıya gönderirim.

– Bilmem ki nasıl olur efendim.

– Ah gözümün bebeği. Basbayağı olur. Şimdi söyleyin bakalım ne zaman teşrif edeceksiniz?

– Cuma günü belki gelirim.

– Ne olur belki demeyin, sizi dört gözle bekleyeceğim.

– Öyle diyorsunuz ama ya komşular görürse?

– Komşular mı? Ben onları da uzaklaştırmasını bilirim.

– Peki o hâlde cumaya görüşürüz.

Kız kırıta kırıta ahenkli yürüyüşü ile uzaklaşırken odaya beyin kızı girdi.

– Benim sevgili beybabacığım, cuma günü komşular Kâğıthane'ye piyasa yapmaya gidiyorlarmış. Bizi de onlarla gönderseniz ne olur? Yalvarırım, beybabacığım! dedi. Bey kurnaz kurnaz gülerek kızının saçlarını okşadı.

– Peki, yavrucuğum madem ki bu kadar istiyorsun, müsaade ediyorum.

Kızcağız zıplayıp hoplayarak müjde vermeye annesinin yanına koştu. Biraz sonra salona giren hanımefendi:

– Sahi mi bey? İzin verdin mi? Şaka etmiyorsun ya? diye arkası arkasına sorular sordu. Bey kaşlarını çattı:

– Bu işin şakası şukası var mı hanım? Çocuk madem bu kadar arzu ediyor, izin verdim. Cuma günü birkaç araba tutarsınız. Komşuları da beraberinize alın ki kalabalıkla birlikte eğlenmek daha hoş olur. Hizmetkârlar da sizinle gelsin. Hem size hizmet ederler hem de sayenizde biraz hava alırlar.

– Demek alay etmiyorsunuz.

– Hayır. Ciddi söylüyorum.

– Pekâlâ. Siz gelmeyecek misiniz?

– Hayır. Bu doğru olmaz. Evi hırsızlar soyabilir. Mahallede de kimse kalmayacağına göre benim oturup evi beklemem daha isabetli olur. Akşama hava kararırken dönersiniz:

Bu konuşmadan sonra konakta bayram havası esmeye başladı. Perşembe günü dolmamıştı ki helvalar, çeşitli söğüşler, köfteler, dolmalar, börekler pişirilip kotarılmıştı bile. Cuma sabahı erkenden bütün komşular hizmetçileriyle birlikte arabalara binip konak ahalisinin refakatinde çıkıp gittiler.

Gelelim bizim efendiye. Artık gözü pencerelerde. Sokağı gözetlemekten bir hâl oluyordu, meraktan nerdeyse çatlayacak gibiydi. Nihayet nâzenini uzaktan göründü. Bey, hemen paldır küldür aşağı kata koştu. Nefes nefese sokak kapısını açtı.

– Buyursunlar efendim, diyerek daha çalınmadan kapıyı açtı. Kız kapının ağzında durup şüpheli gözlerle etrafını süzmeye başlayınca, bey sabredemeyip:

– İçeri buyursanıza gözümün nuru.

– Giremem. Ya içerde sizden başka kimse varsa?

– Sultanım kimse yok vallahi!

– Ya karşıki komşular görürse?

– Onları da Kâğıthane'ye gönderdim. Kimse görmez.

– Gelirim ama her tarafı bana gösterirsen. Benim annem çok mutaasıptır. Biri görür de söyler diye çok korkuyorum.

Böylece epey tereddütten sonra kız bin naz bin eda ile içeri girdi. Çekingen adımlarla sofanın nihayetindeki bir oda kapısına doğru ilerledi.

– Burası neresi?

– Odunluk.

– İçeride adam olmasın. Bakayım bir kere. Peki burası neresi?

– Kömürlük.

– Ya onun yanındaki ne?

– Hizmetçi odası.

Sofanın sonuncu kapısı önünde duran kız soran bakışlarla beyin yüzüne baktı. Adam:

– Burası da mutfak, diyerek kapıyı açtı. Kız mutfağa girdi. Tavanda büyük bir zenbil* asılıydı.

– Bu zenbil ne?

– Ekmek zenbili.

– İndirsene bakayım.

– Canım efendim, ne yapacaksınız ekmek zenbilini? Biz yukarı çıksak da tatlı tatlı sohbet etsek olmaz mı?

– Yoo. Dünyada olmaz. Şu zenbili görmeden bir yere kıpırdamam.

---

* zenbil: hasırdan veya çok kalın sağlam iplerden örülmüş, çanta gibi kullanılan çok büyük torba.

Kız zenbili indirttikten sonra içindeki ekmekleri boşalttı. Zenbilin içine girip oturdu. Şahane gözleri muzip muzip parlıyordu. Bükülen dudakları çehresine şımarık fakat dayanılmaz derecede tatlı bir cazibe veriyordu. Bey onun bu hâlini seyrederken kız:

– Haydi beni tavana kadar çek, dedi.

Birkaç defa zenbille aşağı yukarı inip çıktıktan sonra kıkır kıkır gülen kız, bu defa da beyin zenbile girmesini söyledi. Adamcağız çarnaçar razı olup zenbilin içine girdi. Kız da başladı ipi çekmeye. Bey yükseldi yükseldi, tavana yapıştı. Neredeyse başı dizlerinin arasına girmişti. Az daha boğulacaktı.

Ördekçi, ipi duvardaki temel çivisine sımsıkı bağladı. Adamın feryadı figanına aldırış etmeden mutfaktan çıktı. Yukarı katlarda gezinmeye başladı. Kıymetli eşyadan, mücevherden, paradan yana ne varsa bir yatak çarşafına sarmaladı. Koskocaman bir bohça yapıp sırtına yükledi. Konaktan çıkarken kapıya "Ördekçi oğlunun birinci intikamı. Allah ikincisinden korusun!" yazdı ve gözden kayboldu.

Bitmek tükenmek bilmeyen saatlerden sonra nihayet güneş yavaş yavaş İstanbul camilerinin arkasından denize dalıp kayboldu. Hava karardı. Konak ahalisi ve komşular arabalarla şen şakrak mesireden dönüp evin önünde durdular. Hanımefendi köşkte ışık yanmadığını görünce Arap bacıya:

– Yadigâr kalfa! dedi. Konakta hiç ışık yok. Haydi in de eve önden gir. Sen lambaları yakıncaya kadar biz de arabacılara paralarını veririz.

Yadigâr kalfa konağa gelince bir de ne görsün? Bütün kapılar bacalar açık, mahallenin ne kadar kedisi varsa mutfağa dolmuş. Efendiye ayrılan söğüş etleri mideye indirmişler. Yadigâr el yordamıyla lambayı yakmaya çalışırken bir taraftan da bağırıyordu:

– Hay kör olasılar nereden girdiniz buraya?

Bey zenbilden:

– Yadigâr! Yadigâr! diye seslenince Arap bacının ödü patladı.

Sağına soluna baktı, kimseyi göremedi. Bey:

– Yâdigar, burada zenbildeyim. Aman hanım gelmeden beni buradan indir. Seni azat ederim. Seni kocaya veririm. Ne dilersen yerine getiririm, elini çabuk tut kuzum, diye yalvardı. Yadigâr, beyi zenbilden indirdi. Durumu hanıma söylemeyeceğine de yemin etti. Efendicik uyuşmuş bacakları ve mosmor suratıyla merdivenleri alelacele tırmanıp yatağa girdi. Yorganı başına çekti.

Hanımefendi, kızı ve hizmetçileriyle birlikte komşularla vedalaşıp eve girdikten sonra etraftaki acayip havayı hemen fark etti. Alelacele yukarı çıkıp kocasının yanına geldi. Bir de ne görsün, bey mosmor yatakta yatıyor. Su gibi terlemiş.

– Beyim bu ne hâl? Sana ne oldu?

– Ne olsun, hırsızlar geldi, demeye kalmadı ki bir feryatla kızı koşarak içeri girdi.

– Anneciğim! Anneciğim! Bütün elmaslarım, bilezikleıim, gerdanlıklarım, her şeylerim gitmiş. Ah! Ben şimdi ne yapacağım? diyerek ağlamaya başladı. Bu sırada konağın her tarafından hizmetkârların çığlık sesleri birbirini takip etmeye başladı. Bu esnada bey yalandan uydurduğu hikâyeyi anlatmaya başladı:

– Siz gittikten sonra evi eşkıyalar bastı. Belki kırk kişiydiler. Ellerinde hançerler parlıyordu. Ben tek başıma onlara nasıl karşı koyabilirdim? Hemen yatağa girip uyuyor numarası yaptım. Korkudan nefes bile alamıyordum. Uyumadığımı anlarlarsa benim işimi hemen orada bitirivereceklerdi.

ışık sükan

– Allah korusun beyciğim. Vah bizim başımıza gelenlere! Kırk yılda bir namaz, onu da günahlar komaz. Ne kadar da eğlenmiştik. Lâkin fitil fitil burnumdan geldi vallahi.

Böylece aradan birkaç gün geçti. Ördekçioğlu, konağın bulunduğu mahalde bir küçük dükkân kiraladı. Üzerine "Meşhur Müneccim" diye bir levha astı. Yere bir koyun postu serdi. Önüne bir rahle koydu. Rahleye de gayet kalın bir defter. Yüz tane at kestanesini bir ipe dizerek kendine heybetli bir tespih yaptı. Başına yeşil bir sarık, sırtına siyah cübbe, ayağına kocaman papuçlar giydi. Yüzüne simsiyah bir sakal taktı. Gözlerinin üzerine gayet kalın kaşlar yapıştırdı. Bu hâliyle rahlenin önüne bağdaş kurarak ciddi bir tavırla uydurma dualarla dudaklarını kıpırdatıp tespihini şaklatmaya başladı. Arada sırada kaz tüyünden yapılmış kalemini mürekkep hokkasına batırıp defterin sahifelerine gayet garip şekilli çizgiler çiziyordu.

Bu sırada konaktaki beyin kızı ikide bir gelip gidip annesine yalvarıyordu:

– Benim güzel anneciğim. Ne olursunuz bir bakıcıya gidelim. Belki çalınan elmaslarımın, bileziklerimin, küpelerimin yerini söyler.

Nihayet hanımefendi kızının ricalarına dayanamadı. Esasen kendisi de müneccimlere ziyadesiyle inanırdı. Giyinip kuşanıp sokağa çıktılar. Çok gitmeden Ördekçi'nin küçük dükkânını gördüler. Kız bağırdı:

– Anne, bakın burada bir müneccim var! Haydi ona gidelim!

Beraberce dükkândan içeri girdiler. Kara sakallı hoca efendi onlara bir nazar atfetmek tenezzülünü dahi göstermedi. Durmadan dudaklarını kıpırdatıyor, tespihini şaklatıp duruyordu. İki hanım bir saate yakın sessiz sedasız beklediler. Nihayet kızın sabrı tükendi:

– Anne hoca efendiye söyle de bize baksın, diye sızlanmaya başladı.

– Sus kızım. Hoca efendi okuyor. Okumasını bitirsin de öyle söyleriz.

Böylece bir buçuk saat sonra hoca efendinin okuması sona erdi. Birdenbire avazı çıktığı kadar kalın bir sesle bağırdı.

– Nedir?

Hanımefendi ile kızı yerlerinden öyle bir sıçradılar ki dışarıdan biri görse gülmekten katılırdı.

– Kaybolanı mı bulacağım? Kısmete mi bakacağım?

Hanımefendi güç bela kendisine gelerek ancak duyulabilecek kadar yavaş bir sesle:

– Kaybolana bakacaksınız efendim, dedi.

– Peki.

Hoca efendi eline kaz tüyünü alıp deftere acayip çizgiler çizmeye başladı. Bir şey bildiği yok ya, iş olsun ki hanımın üzerine tesir etsin diye böyle davranıyordu. Yavaş sesle, sanki gaipten* sesler işitiyormuş gibi konuşmaya başladı.

– Sizin eviniz yahut konağınız yakında.

Kız heyecanla:

– Ah! Bildi anneciğim bildi, diye söylendi.

Annesi kaşlarını çatarak:

– Sus kızım, diye sertlendi.

– Kapıdan girdiğin yerde, en sağda kömürlük var. Onun üzerinde odunluk, bir hizmetçi odası ve mutfak. Beri tarafta da merdiven, diye başlayarak ördekçi soyup soğana çevirdiği evi güzelce tarif etti. Kız her seferinde "Aaa! Anne bildi!" diyerek fısıldamaktan kendini alamıyordu. Hoca efendi bu sefer de çalınan eşyadan başladı. Gerdanlıkların üzerindeki taşların

* gaip: görünmeyen âlemler.

cinsini, sayısını, kıymetini teker teker söylüyor; müşterilerinin derin hürmet ve hayranlığını kazanıyordu. Hanımefendi:

– Peki, dedi. Hoca efendi hazretleri, acaba bu eşyayı bulmak kabil değil mi?

– Kabil ama pek zor. Siz yapamazsınız.

– Ne olursa olsun biz yaparız. Sana da istediğin ücreti veririz.

– Siz bana bakmayın. Ben bu işi insaniyet namına yapıyorum. Bir lokma bir hırka, ne olsa kabulüm.

– Aman efendi hazretleri, ne olursunuz şunun çaresini söyleyin. Ne olsa yaparız.

– Pekâlâ. Madem o kadar ısrar ediyorsunuz söyleyeyim. Önümüzdeki hafta cuma günü vüzeradan kırk kişi gelecek. Evinizdeki en büyük misafir odasında toplanacaklar. Evin beyinden başka konağınızda ev halkından kimse bulunmayacak. Ve komşularınız da evlerinde olmayacaklar. Vüzeranın bulunduğu salonda 41 tane hasır bulunacak. Ve hiçbir kimse konuşmayacak. Herkes el işaretleriyle anlaşacak. Ben saat on ikide* geleceğim. Ne işaret edersem onu yapacaklar. Eğer bu söylediklerime harfi harfine itaat edilmezse ne hırsızı ne de çalınan eşyalarınızı ve mücevherlerinizi bulamam.

Bu sözlerden sonra ana kız evlerine döndüler. Heyecanla olup bitenleri babalarına bir bir anlattılar. Bey, hoca efendinin söylediklerine aynen riayet edeceğine dair söz verdi.

Bir hafta çabuk gelip geçti. Ev halkı komşularla birlikte mahalleden uzaklaştı. Pek büyük bir nüfuz sahibi olan beyefendi, arkadaşlarından kırk vükelaya hadiseyi anlatıp yardımlarını rica etmişti. Onun için cuma günü paşalar teker teker

---

* alaturka saat, yani güneşin batışında 12'yi gösterecek şekilde ayarlanmış saat, ezanî saate göre.

konağa geldiler. Bey onlara bir kelime dahi söylemeden el işaretleriyle kendilerini kabul etti. Büyük misafir salonunda hepsi toplanınca hiç konuşmadan efendi hazretlerini beklemeye başladılar. Hoca saat tam on ikide teşrif etti.

Salona girince cübbesinden kocaman, beyaz bir çarşaf çıkarıp yere yaydı. Sonra vükeladan birine parmağı ile yanına gelmesi için bir işaret yaptı. Adamcağız odanın ortasına gelince soyunmasını istedi. Paşa don gömlek kalıncaya kadar soyundu. Hoca efendi bu son derece kıymetli sırmalı elbiseleri çarşafın üzerine devşirip koydu. Duvarda dayalı olan hasırlardan birini getirip bununla paşayı sarıp sarmaladı, duvara dayadı. Böylece teker teker bütün paşaların üzerindeki elbiseler devşirilip çarşafa konuldu. Ve adamlar hasırlara sarınıp duvara dayandılar. En son evin beyine sıra geldi. O da aynı akıbete uğradı. Kırk bir adam da hasırlara sarılınca ördekçi, çarşafı itina ile bağladı. Cebinden çıkardığı kavı tutuşturup hasırların uçları alev alıncaya kadar teker teker yaktı. Sonra gayet sakin koskoca bohçayı omzuna vurup merdivenlerden aşağıya indi. Konağın kapısına "Ördekçinin ikinci intikamı, Allah üçüncüsünden saklasın!" yazarak çıkıp gitti. Salondaki ahmaklar duman kokusunu duydukları hâlde seslerini çıkarmamışlardı. Fakat hasırlar iyice tutuşup vücutlarını yakmaya başlayınca avaz avaz bağırarak bunlardan kurtulmaya çalıştılar. Hepsi de kurtuldu. Lâkin kiminin sakalı alazlanmıştı,* kiminin kolu, kiminin bacağı yanmıştı. Ne yapacaklarını şaşırıp don gömlek sokağa fırladılar. Fakat şaşkınlıkları biraz hafifleyince birine görünmek korkusuyla yavaş yavaş yanmaya başlayan eve girdiler. Ev sahibi beyefendi sırtına bir şeyler geçirip evde es-

* alazlamak: tam manasıyla yanmayıp tüy ve kılların yanması.

vap namına ne varsa paşalara dağıttı. Yangını gören tulumbacılar koşup geldi, ev kül olmaktan kurtarıldı. Vükela için güç bela kırk araba temin edildi. Ve hepsi mecruh* bir hâlde evlerine dağıldılar. Ertesi gün kubbe altında mühim bir toplantı vardı. Padişah ile sadrazam boş yere vükelayı bekleyip durdular. Toplanma saatinde uşaklar gelip ayrı ayrı her vezirden mazeret mektupları getirip duruyorlardı. Padişah bu işe hem şaşırmış, hem de çok kızmıştı.

– Haydi bir tanesi iki tanesi hasta diyelim. Fakat bütün vezirlerim de mi mazeretli. Bu ne iştir? Tez hepsine haber gönderin. Ölüm hâlinde bile olsalar burada toplansınlar, diye haber saldı.

Padişah fermanına karşı mı gelinir? Vükela ahlayarak oflayarak teker teker gelmeye başladı. Hakikaten hepsi de yaralıydı. Bir köşede, beyaz sargılar içinde boynu bükük, sapsarı suratlarla dikilip duruyorlardı. Nihayet hepsi tamam olunca padişah:

– Bu ne hâl, ne oldu böyle size? diye kükredi. İçlerinden en kıdemlisi titrek sesiyle macerayı baştan sona kadar anlattı. Bunun üzerine sadrazam kendini tutamayarak kıs kıs gülmeye başladı.

– Görüyorsunuz ya haşmetlim, hükûmeti kimlerin eline bırakmışsınız? Bunların hepsi budala! Bir hocaya aldanıp bu vaziyete düşen adam, adam mıdır?

Padişah sadrazamın sözlerine son derece içerledi. Fakat yüzünden hiçbir şey belli etmedi. Halvet** istedi.

Beri taraftan bey, başına gelen işlerin sebebini biliyor fakat kimseye anlatamıyordu. Konağın yanan kısmını tamir ettiri-

* mecruh: yaralı.
** halvet: burada bir süre yalnız kalmak anlamında kullanılmıştır.

yordu. Zabıtaya haber verilmiş, hoca efendinin dükkânına gidilmişti, lâkin ele bir şey geçmemişti.

O sırada padişah İstanbul'un her yanına münadiler* çıkartarak "Vezir vüzeranın elbiselerini çalıp beyzadenin konağında yangın çıkartan kişi her kimse onun saraya gelmesini, kendisine ceza verilmeyeceğini" ilan ettirmişti.

Ördekçi, annesine saraya gideceğini söyledi. Annesi her ne kadar "Aman gitme evlâdım, etme evlâdım, başını vururlar, kıyarlar sana" dediyse de oğlan bunları dinlemedi. Kalktı buz gibi sırmalı elbiseler giydi, bir landona** binip saraya gitti. Çok beklemeden de padişah kendisini kabul etti.

Sultan karşısında pek genç, pak yakışıklı, gözlerinden zekâ fışkıran bu genci görünce hayretle:

– Bütün bu işleri yapan sen misin? diye sordu.

– Evet efendimiz.

Padişah eliyle sakalını sıvazladı. Bu cesur gencin yüzünü bir müddet süzdükten sonra kahkahalarla gülmeye başladı.

– Pekâlâ! Söyle bakalım, benim zavallı vükelamı neden malûl*** gazi heyetine döndürdün?

Bunun üzerine çocuk hikâyeyi başından sonuna kadar minevvel minahir anlattı.

Halife sultan bundan pek hoşlandı ve sordu:

– Pekâlâ, acaba sadrazama da bir oyun oynayabilir misin?

– Ferman efendimizin.****

---

* münadi: Eski devirde padişah başta olmak üzere diğer hükûmet büyüklerinin emirlerini yüksek sesle avaz avaz haykırarak halka haber ulaştıran kişidir, tellal ise ticari mal varlıklarını satış bedellerini ve koşullarını halka bağırarak ilan eden kişiye denir.

** landon: şık donatılı atlı araba.

*** malûl: sakat, özürlü.

**** Padişah bütün milletin efendisi sayılırdı.

– Eğer şu sadrazamı rezil edebilirsen senin bütün yaptıklarını affedeceğim. Ve sana nedimlerimin arasında yer vereceğim.

– Kusurumu bağışlayın Padişahım ama sizden iki şartımı yerini getirmenizi istirham edeceğim.

– Söyle bakalım.

– Evvela kırk günlük mühlet istiyorum. Sonra kırk tane beyaz kaz.

– Peki, dediğin olsun. Çekilebilirsin.

Ördekçi doğru evine gitti. Her gün bir kaz kesip yiyiyor, yan gelip yatıyordu. Küçük sandık odasında yediği kazların tüylerini yolup yolup odayı tüyle doldurmaktan başka yaptığı bir iş yoktu. Ördekçi bütün vücudunu kılıf gibi saran bezden bir elbise dikti. Başına da iki göz, burun ve ağız yerleri delik olan külah gibi bir maskeyi boynuna kadar geçirdi. Bu garip bez kıyafetin üstüne, her tarafına gelecek şekilde katran sürdü. Katranlı elbiseyle kaz tüyleri doldurulmuş odaya girdi. Ve tüylerin üzerinde saatlerce yuvarlanıp durdu. Kırk birinci günün sabahı, daha güneşin doğmasına üç saat varken kalktı. Her tarafına kaz tüyleri yapışmış bez kılıfı vücuduna geçirdi. Külahı da başına. Külahın ucunda ufak bir çıngırak vardı. Çocuk yürüdükçe "çiling, çiling" diye tuhaf tuhaf ötüyordu. Ördekçi aynaya baktı. Az daha görüntüsünden kendisi bile korkacaktı. Yüreği de üzerinde olan bir takım ciğeri, kanları aka aka yanına alarak o kıyafetle sokağa çıktı.

Köşe başını dönerken bir köşede uyuklayan bekçi baba onu görür görmez:

– Aman Allah! deyip düştü bayıldı. Çocuk bu vak'adan memnun, kimseye rastlamadan sadrazamın konağına kadar geldi. Kapıyı olanca şiddetiyle tekmelemeye başladı. Zavallı kapıcı gözlerini oğuştura oğuştura merdivenlerden paldır küldür inerek kapıyı açtı. Karşısında çıngır çıngır öten alel acayip ve gayet korkunç bir mahlûk görünce "Hık" dedi bayılıverdi. Oğlan adamın üzerinden atlayarak ve hizmetkârları arasından geçerek sadrazamın odasına girdi. Bereket herkes uyuyordu. Uyanan olsa zaten düşüp korkudan bayılacaktı. Ördekçi olanca hızını toplayıp Yaradan'a sığınarak horuldayıp duran sadrazamın arka tarafına bir tekme indirdi. Adamcağız müthiş bir acı ile uykusundan sıçrayarak kalkıp karşısında şakır şakır kanları akan bir takım ciğer ve yürekle duran mahlûka bakınca paldır küldür yataktan düştü. Korkudan zangır zangır titriyor, dereler gibi terliyordu. Ördekçi en kalın sesiyle:

– Ben Azrail'im. Canını sökmeye geldim, dedi.

Vezir titrek sesiyle:

– Ne olursun canımı alacaksan yakmadan al, diye yalvardı.

– Merak etme yakmam. Haydi gir bakayım şu torbanın içine de seni ahirete götüreyim.

Sadrazam ne yapsın? Hiç Azrail Aleyhisselam'ım emrine karşı gelinir mi? Mecburen torbanın içine girdi. Oğlan torbanın ağzını sıkıca bağlayıp sırtına yükledi ve henüz gün ışımadan evine döndü. Acayip elbiselerini çıkarıp banyo yaptıktan sonra, yatağa girip temiz bir uyku çekti. Sadrazam da torbada bir kancaya asılı bir hâlde sabahı bekledi. Çocuk uyanınca en güzel elbiselerini giydi, güzel bir landona bindi, sadrazamı da torbayla ayaklarının önüne yerleştirdi. Saraya doğru yol alırlarken, ikide bir torbaya bir tekme yapıştırıyor, en kalın sesiyle:

– Ben ne zaman "Ibıbık" dersem, sen "Çıbıbık" diye cevap vereceksin, anladın mı? diyordu.

Sadrazam hafif ve titrek sesiyle:

– Anladım efendim, dedi. Aradan biraz zaman geçti. Çocuk:

– Ibıbık, diye bağırdı. Sadrazam korkudan incelmiş sesiyle:

– Çıbıbık, dedi.

Bunlar "Ibıbık", "Çıbıbık" diye giderlerken sadrazam, şehrin mutat gürültüsünü işittikçe kendi kendine "Allah Allah!" diyordu. "Demek ki ahirette de tıpkı dünyadaki gibi gürültü patırtı var."

Nihayet saraya geldiler. Ördekçi indi. Torbayı sırtlandı. Padişahın emri sayesinde kimseye sormadan, kendi kendine koridorlarda yürümeye başladı ve nihayet taht salonuna girdi. Hükümdar tarafından malül gazi heyetine benzetilen bütün vükela toplanmış, padişah gelmişti. Oğlanı bekliyorlardı. Kapı açılıp içeri sırtında torbayla genç bir delikanlı girince padişahtan gayrı herkes kaşlarını çattı. Fakat edep dairesinde sustular. Çocuk tahtın önüne gelince kalın bir sesle bağırdı: "Ibıbık!"

Torbadan titrek bir ses geldi.

– Çıbıbık!

Oğlan torbayı teker teker her vezirin önünde dolaştırırken "Ibıbık Çıbıbık" teranesini* tekrarlıyordu.

Padişah hafifçe gülümsediği için diğer paşalar işin içinde bir muziplik olduğunu ve bundan sultanın çok hoşlandığını hissetmişler; vaziyetlerini, duruşlarını ona göre ayarlamışlardı. Ördekçi tekrar tahtın önüne gelince torbayı yere bıraktı. Ve sımsıkı bağlı ipini bir hançer darbesiyle kesti. Gecelik entarisi ve takkesiyle, yüzü sapsarı olan, tiril tiril titreyen sadrazam, torbanın içinde büzülmüş oturuyordu. Çocuk bağırdı:

– Ayağa kalk!

Sadrazam sarsak sarsak itaat etti. Korkak gözlerle etrafına bakınıp vükela ile padişahı görünce çok şaşırdı.

– Aman Efendimiz, yoksa siz de mi vefat ettiniz? dedi.

* terane: musikide tekrar, aynı şeyi tekrar tekrar söylemek.

– Aaa! Arkadaşlarım da burada, diye söylenince padişah onun bu hâline uzun uzun güldükten sonra:

– Tuh! Allah müstehakını versin, senin gibi sadrazamın... Kimsenin öldüğü filan yok. Hani herkes aptaldı da sen akıllıydın? Nasıl girdin çuvalın içine? Senin gibi aptal lalayı artık istemiyorum, diye kaşlarını çattı ve sadrazamı azletti. Bundan sonra; balıkçının oğluna da saraylılardan çok güzel bir kızı seçip oğlanı kırk gün kırk gece düğün yaparak evlendirdi. Ve onu nedim olarak yanına aldı.

Onlar ermiş muradına biz çıkalım kerevetine.

395-Femme Turque Voilée   JP.Seb

Bedestenli Mehmed Ağa

Bir vaktin zamanında Bedesten'de meşhur bir kuyumcu vardı. İsmi Bedestenli Mehmet Ağa'ydı. Bu Mehmet Efendi'nin bir karısı vardı. Güzel mi güzel, afitab-ı cihan. Fakat adam akşam eve gelince dönüp de bir an olsun karısının yüzüne bakmazdı. Uzun zamanlar böyle devam etti.

Nihayet kadıncağızın canına tak etti. "Ah! Ne bu böyle?" diye kendi kendine söylendi: "Her akşam bir surat, bir çehre! Adam biraz yemek yiyip cumba yatıyor. Çekilecek şey değil."

Kim olsa çekmez. Hele böyle fettan mı fettan, cilveli, şeytan, çekici gibi bir hanım çeker mi? Ne yapsın, hakkı var hatuncağızın. İşte bu kadıncık da kalkıp bir şey yaptı.

Kocası horul horul uyurken onun cebinden kasanın anahtarını aldı. Kasadan da avuç dolusu altın. Sonra anahtarları yerine koydu. Ertesi gün hizmetçisini yanına alarak çarşıya gitti. Üç türlü feracelik aldı. Pembe, yeşil, mavi. Eve dönüp bunları güzelce dikti. Ertesi gün pembe feracesini giyip süslendi püslendi, taktı takıştırdı. Ne yaptıysa kendine yakıştırdı. Kırıta kırıta doğru Bedesten'e yollandı. Kocasının dükkânı önünde bir aşağı bir yukarı piyasa etmeye başladı. Kocası bu eşsiz güzellikteki şık kadını görünce hemen dışarı fırladı. Daha karısını tanımıyor, anlayın ne akılsız olduğunu.

– Bir şey mi aradınız efendim?

– Bir yüzük alacağım da camekânlara bakıyorum.

– Buyrun hanımefendiciğim, buyurun. Dükkânımız emrinize âmadedir.

Kadın içeri girip fevkalade değerli, pırlanta bir yüzük beğendi.

– Bu yüzük kaça?

– Aman efendim, teklifiniz mi var? Sizin gibi güzel bir hanıma feda olsun. Müsaade buyurun da parmağınıza ben takayım, bakalım nasıl olacak?

Kadın, beyaz güvercin kanadına benzeyen pamuk elini kocasına uzattı. Adam heyecan içinde yüzüğü hanımının parmağına taktı. Kadın yüzüğün ücretini vermek üzere para kesesini çıkarınca kuyumcu para almamakta ısrar etti. Bunun üzerine hanım, yüzüğü iade etmek mecburiyetinde kalacağını ihtar edince Mehmet Efendi çarnaçar yarı fiyatı söyleyip az miktar altına bu eşsiz mücevheri elden çıkardı. Hanım, meltem rüzgârı gibi kıvrak adımlarla sokağa çıkıp gözden nihan olunca kocası hanımının ardından iç çekerek işinin başına döndü. Akşam olunca Mehmet Ağa, hayalinden uzaklaştıramadığı hanımın aşkıyla sersem, eve döndü. Bermutad kendini karşılayan karısının yüzüne bile bakmadı. Pek az yemek yedi. Cigaranın birini yakıp birini söndürüyor, ah ve vahlarının ardı arkası gelmiyordu. Karısı bıyık altından gülerek sordu:

– Efendi neyin var? Yoksa hasta mısın?

– Hayır. Bir şeyim yok. Hasta değilim.

– Yoksa aksata* mı edemedin?

– Canım senin ne üstüne vazife? Akşam akşam kafamı şişirip durma.

Böylece Mehmet Efendi öfkeyle yerinden kalkıp yatmaya gitti. Karısı da ardından billur gibi bir kahkaha attı.

Kuyumcu ertesi sabah pek erken bir saatte kalkıp işine gitti. Akşama kadar o nâzenin belki görünür diye içi içine sığmayarak bekledi durdu. Lâkin ne gelen vardı, ne giden. Dükkânı her zamankinden geç kapatıp eve yüz karış suratla döndü. Ağzına bir lokma yemek koymadı. Geç vakitlere kadar evden bahçeye, bahçeden eve dolaşıp durdu. Karısı bir laf edecek olsa "Sen ne karışıyorsun bana, senin ne üstüne elzem" diye aksileniyordu.

Kadın anladı ki kocası istediği kıvama gelmiş. Adam yatar yatmaz usulcacık cebinden anahtarı çekip kasadan bir miktar daha para aldı. Ertesi gün kocası işe gider gitmez, mavi feracesini giydi. Bir süs bir püs. Kırıta kırıta yola revan oldu. Kapalı Çarşı'ya gelince bir de ne görsün? Kocası yolun ortasında durmuş bir aşağı bir yukarı volta atarak kendini bekliyor. Hanım yaşmağının altından gülümsedi. Mehmet Efendi onu görünce koşarak yanına geldi.

– Aman efendim. Nerelerde kaldınız? Gözlerim yolda, geceleri uykusuz, kara kara hep sizi düşünüp durdum. Sizi merak ettim. Niçin teşrif etmediniz?

– Allah Allah! Ben mecbur muyum sizin dükkânınıza gelmeye?

– Hanımefendi elbette mecbur değilsiniz. Ama ne olur kulunuzu ihya etseniz.

* aksata: alışveriş.

– Ne demek istiyorsunuz? Ben bugün başka yerden alışveriş edeceğim.

– Yalvarırım benim dükkânıma buyurun. Ne emrederseniz vereyim.

Böylece Mehmet Efendi yalvar yakar, bin dereden su getirerek tanıyamadığı karısını dükkândan içeri aldı. Kemali ihtiramla en uygun yere oturttuktan sonra:

– Şimdi söyleyin ne emir buyuruyorsunuz?

– Birkaç tane altın bilezik istiyorum.

– Hay hay efendim. Bakın şunların zarafetine, ne ince bir ustalıkla işlenmiş! Müsaade buyurursanız o latif bileklerinize bunları ben takayım.

– Aa olur mu? Ayıp değil mi?

– Canım efendim. Lütfedin, ne mahsuru var? Ben taksam ne çıkar?

Velhasıl hanım bin işve, naz niyaz bilezikleri taktırıp bin bir zorlukla az bir ücret karşılığı bir miktar para bıraktıktan sonra kırıta kırıta evine döndü.

Akşam olunca ahlar ve vahlar arasında kocası çıkageldi. Ağzına bir lokma koymadan cigaranın birini söndürüp birini yakarak beş aşağı beş yukarı dolaştı durdu. Bu sefer cingöz karısı bir hafta Bedesten'e gitmedi. Kocası gitgide zayıflıyor, yakışıklı yüzü büzülüp sararıyordu. Nihayet hanım dayanamadı, yeşil feracesini giydi. Mükemmel süslendi. Bedesten'e gitti. Bir de ne görsün? Kocası artık sokağın başında bekliyor. Mehmet Efendi yerden temennalarla hanımını karşılayıp güç bela, yalvar yakar onu alıp dükkânına götürdü. Ezilip büzüldükten, bin bir renge girdikten sonra bir sual sordu:

– Efendim size bir şey soracağım ama çok sıkılıyorum.

– Buyurun, sorun.

– Şey...! Siz bakire misiniz? Seyyibe* misiniz?

– Bakireyim efendim.

– Kimin kızısınız?

– Atıf Paşa'nın kızıyım.

– Acaba sizi istesem paşa babanız Allah'ın emriyle sizi bana verir mi?

– Ah! Vermez.

– Peki ne der?

– Benim kızım kamburdur. Benim kızım sümüklüdür. Benim kızım sarsaktır, der. Beni ziyadesiyle kıskanır. Validem öldükten sonra büsbütün üzerime düştü.

– Ben bütün söylediklerine razı olsam yine de vermemezlik eder mi?

– Bilmem.

– Belki kabul etmek zorunda kalır.

Cingöz hanım bu seferki ziyaretinde de elmas bir gerdanlık seçti. Kocası bunu kendi eliyle o enfes gerdana taktı. Hanım da çıktı gitti.

Mehmet Efendi artık sevinçten uçuyordu. Erken bir saatte dükkânı kapatıp eve geldi. Karısına:

– Hanım, yarın Atıf Paşa'yla elmas mübayasına gideceğiz. Benim en yeni esvaplarımı hazırla, dedi. Kadıncağız içinden gülerek kocasının en yeni elbiselerini sandıktan sepetten çıkarıp hazırladı. Mendilinden çorabına kadar her şeyleri pırıl pırıl önüne koydu. Ertesi sabah Mehmet Efendi pür tuvalet paşanın konağının kapısını çaldı. Uşaklar kapıyı açıp velinimetlerinin selâmlıkta sabah kahvesi içtiğini söylediler. "Buyurun" diyerek bizim kuyumcuyu Atıf Paşa Hazretlerinin yanına gö-

* seyyibe: evli.

türdüler. Hoşbeşten sonra paşa, kuyumcudan sebebi ziyaretini sordu. Bunun üzerine delikanlı heyecanla:

– Efendim, Allah'ın izniyle sizin küçük hanımefendiye talibim, dedi. Paşa:

– Ah evladım. Benim kızım kocaya verilecek bir kız değil ki! Sen talipsin ama beni kızım kambur, sümüklü, sidikli ve kötürümdür. Üstelik aklı da zayıftır. Sen aslan gibi yakışıklı bir delikanlısın. Yazık değil mi sana?

– Olsun, benim makbulümdür efendim.

– Oğlum bu kız sana karılık yapamaz. Helâya bile gidemez. Dadıları tarafından bakılıyor. Bunu sen ne yapacaksın?

– Olsun efendim. Benim makbulümdür.

Paşa her ne dediyse bu çılgını fikrinden döndüremedi. Onu kızından soğutamadı. En sonunda kızdı, gayet ağır şartlar koydu.

– O hâlde bin altın ağırlık isterim, dedi. Mehmet Efendi çıkarıp bin lirayı paşaya teslim etti. Artık paşaya söylenecek hiçbir şey kalmadı. Kuyumcu düğünün acele olması için bütün tedbirlerin alınmasını istedi. Nazar değmesin diye koltuk olmayacağını söyledi. Uzatmayalım çok geçmeden düğün dernek kuruldu. Sazlardan sözlerden sonra Mehmet Ağa o gece güveye girdi. Mum ışıkları ile hafifçe aydınlatılmış odada namazını kıldı. Dadı, gelinin tüller içindeki elini, damadın eline koyup dışarı çıktı. Çıkarken "Allah mübarek mesut etsin" demeyi de unutmadı. Fakat akabinde tül yığınının altından çatlak bir ses:

– Dadııı! Bu adam da kiiim? Girmiş odaya! diye bağırdı. Dadı hemen geri dönüp:

– Sus kızım. Helâlindir o senin, diye çatlak zurnayı teskine çalıştı. Mehmet Ağa duvağı açtı. Gözleri şaşkınlıktan yerinden uğradı. Kız:

– Dadııı! Bir adam duvağımı açıyooor. Bu kiiim? diye sordu.

– Kızım sus! O senin helâlindir. Bağırma öyle, ayıptır.

Mehmet Ağa kendine bir oyun oynandığını anlayınca dalgın dalgın bir köşeye çekilip oturdu. Biraz sonra gelin hanım bağırdı:

– Dadı! Burnum akıyor.

Dadı bir koşu keten mendille içeri girip kızın burnunu sildikten sonra çekilip kapıdan çıktı. Biraz sonra gelin tekrar bağırdı:

– Dadıı! Hacetim geldi!

Kadıncağız kocaman iki kulplu bir lazımlıkla içeri girdi.

– Haydi oğlum ben, kaldıramıyorum. İhtiyarım. Gel beraber gelin hanımı şunun üzerine oturtalım, dedi.

Beraberce bu işi de başardılar. Ama sabaha kadar çocuktan farkı olmayan yarım akıllı hasta kızın istekleri bitmedi. Sabahleyin şafakla birlikte Mehmet Ağa kendini sokağa zor attı. Koşa koşa evine gelip aceleyle kapıyı çaldı. Kapıyı kim açsa beğenirsiniz? Tabii karısı. Ama pembe elbiseler içinde. Yüzüğü, gerdanlığı, bilezikleri takmış takıştırmış olduğu hâlde. Mehmet Ağa birden kendini hanımının ayakları altına attı:

– Ah efendim! Ben kulunuz, ben köleniz olayım. Ne yapsanız hakkınız var. Ben ettim. Siz etmeyin. Beni bu dertten kurtarın, diye yalvarmaya başladı. Hanım şuh bir hareketle kocasını yerden kaldırdı. Tatlı tatlı gülümseyip göz süzerek:

– Etme bulma dünyası, dedi.

Mehmet Efendi durumdan affedildiğini anlayınca karısı ile beraber gülmeye başladı. Bir müddet konuşup gülüştükten sonra hanım:

– Efendi şimdi Sulukule'ye git. Kırk tane çingene tut. Atıf Paşa'nın konağı önünde toplansınlar. Kimi halamın oğlu, kimi amcamın oğlu, kimi dayımın oğlu evlenmiş, desin. "Pilav, zerde isteriz" diye bağırsınlar. O zaman Atıf Paşa seni kızından ayırmak isteyecektir. Sen razı olmaz görün. O düğün masraflarını iade etmeyi sana teklif edince ödediğin paraları geri alır, paşanın geri zekâlı kızını boşarsın.

Adamcağız karısının dediklerini yaparak akşama konağa gitti. Sazlar çalınıyor, sofralar hazırlanmış, vekil vükela teşrif etmiş. Mehmet Ağa "Buyurun Damat bey" diye karşılanıp paşanın yanına oturtuldu. Tam bu sırada Sulukule'den gelen çingeneler konağın avlusuna doluşup bağrışmaya başladılar.

– Halamızın oğlu konağa damat girdi. Pilavını, zerdesini isteriz.

– Dayımızın oğlu damat girdi. Pilavını, zerdesini yemeye geldik.

Bu gürültüyü işitince paşa:

– Be adam. Sen çingene misin? diye damadına sordu.

– Evet efendim.

– Eee! Bana söylemedin?

– Sormadınız ki efendim.

– Hay Allah müstehakını versin! Bana bak, derhal kızımı boşayacaksın.

– Niçin? Ben hanımımdan memnunum.

– İyi ama ben çingene damat istemem. Sana bin lirayı iade edeyim, karını bırak.

– Ben hanımımdan memnunun.

– Peki iki bin lira olsun.

– Nasıl isterseniz efendim, dediğiniz olsun.

Bunu üzerine Mehmet Ağa iki bin lirayı aldı. Düğün dernek bozuldu. Mehmet Ağa evine döndü ve sersemliğini affeden karısı ile gayet mesut bir hayat yaşadı. Onlar ermiş muradına...

Yağlıkçının Hindi Cihan Karısı

Evvel zamanda bir hanımla bir bey vardı. Günlerden bir gün bey hacca gitmeye karar verdi. Dolayısıyla evde bir seyahat hazırlığı başladı. Hanım halayığını yanına alarak Kapalı Çarşı'ya gitti. Efendisine çamaşır düzecekti. Yağlıkçılardan* birinin dükkânına girdi. Fakat adamı görünce ne kadar yakışıklı olduğunu fark edip hayran kaldı ve bütün kalbi ile ona vuruldu. Alacağını alıp eve geldi ama aklı da yüreğiyle birlikte yağlıkçının dükkânında kaldı.

Kocası kervanlarla hacca gittikten sonra, kadın bir tepsinin içine un koydu. Su dolu bir sürahiyi unun içine oturtup sürahinin içine de bir asma yaprağı attı. Sonra sürahinin boynunu kırmızı kurdele ile bağladı. Halayığına tepsiyi alıp yağlıkçıya götürmesini söyledi.

Halayık emaneti dükkâna bıraktıktan sonra hiç dünya kelâmı etmeden geri döndü. Fakat yağlıkçı olacak genç adamı

* yağlıkçı: eskiden manifaturacı ile kumaşçılık işini yapan kişilere verilen isim.

bir düşüncedir almıştı. Gelenlere bir mânâ veremiyor, düşündükçe sıkılıyordu. Nihayet komşu dükkânlardaki arkadaşlarından fikir sordu. Onlar da hiçbir şey anlayıp söyleyemediler. Adamcağız akşama evine bir karış suratla döndü. Köşesine kuruldu. Elini şakağına dayayıp somurtmaya başladı. Karısı yanına gelip:

– Efendi. Hasta mısınız? Niçin böyle mükedder* görünüyorsunuz. Yoksa aksatanız** mı yolunda değil, diye sordu.

Yağlıkçı:

– Bir kadın, arkadaşlarımdan birine garip bir şey göndermiş. Mânâsını bana sordu, anlayamadım. Onu düşünüyordum.

– Neymiş o?

– Bir tepsi unun içine su dolu bir sürahi oturtulmuş, sürahinin boynu kırmızı kurdele ile bağlı, içinde de asma yaprağı var. İşte bunun mânâsını anlayamadık.

– İlahi efendi. Haydi siz aptalsınız. Peki arkadaşlarınız da mı aptal? Onu bilmeyecek ne var? Kadın arkadaşınıza kendi evini tarif etmiş.

– Eeee! Pekâlâ, evi nerdeymiş?

– Nerede olacak, tepsinin içindeki un: Unkapanı. Sürahi: Çeşme. İçindeki yaprak: Asmalı Ev. Kurdele de: Evin badanasının rengi. Yani adres şöyle: Unkapanı'nda, çeşme karşısındaki kırmızı badanalı, asmalı ev. Anladın mı şimdi?

– Haaa! Şimdi anladım. Aferin benim akıllı hanımcığım. Öyleyse yarın arkadaşım o eve gidecek. Ben de onun dükkânını bekleyeceğim. Müsadenle yarın evde yokum.

– Pekâlâ. Ben de elbiselerinizi çamaşırlarınızı hazırlayayım. Yarın dükkânı beklerken temiz pak olmalısınız.

* mükedder: kederli.
** aksata: alışveriş.

Kadıncağız kocasının damatlık elbiselerini ve en yeni çamaşırlarını hazırladı. Bir taraftan da kurnaz kurnaz gülümsüyordu. Ertesi akşam yağlıkçı pür tuvalet Unkapanı'ndaki eve gitti. Kendisini Arap halayık karşılayıp izzet ikram misafir odasına aldı. Bir çeyrek saat sonra da eline bir kahve tutuşturup gitti. Yağlıkçı seher vaktine kadar hanımı boş yere bekledi. Karnı acıkmış, açlıktan bayılacak hâle gelmişti. Sabaha karşı kapıyı açıp gideceği sırada Arap halayık tekrar göründü. Ve adamın eline, ucuna on para bağlanmış bir mendil tutuşturdu.

– Bunu sana hanımım gönderdi, deyip ortadan kayboldu.

Yağlıkçı dükkânına geldi, yaşadığı maceranın mânâsını samimi arkadaşlarına sordu ise de kimse işin içinden çıkamadı. Adam en sonunda, bunu bilse bilse yine benim hanımım bilir, diye düşünüp omuz silkti. Akşam eve düşünceli bir tavırla gelip yemekten sonra köşesine oturunca hanımı sordu:

– Ne o bey? Yine ne düşünüyorsun?

– Ne düşüneceğim, arkadaşım o kadının evine gitmiş. İzzet ikram, halayık misafir odasında yer göstermiş. Bundan sonra sabaha kadar kimse yanına uğramamış. Seher vakti adam dışarı gideceği sırada halayık ortaya çıkıp adamcağızın eline ucunda on para bağlı bir mendili tutuşturmuş. Bütün esnafa sordu, kimse bunun ne mânâya geldiğini bilemeyip işin içinden çıkamadı. Ben de onu düşünüyordum.

– Aaaa! Ondan basit ne var ayol? Adam eve eli boş gitmiş. Hanım, "on paran da mı yoktu" demek istemiş.

– Aferin karıcığım. Öyleyse arkadaşım yarın o eve gidecek. Ben de onun dükkânını bekleyeceğim. O yüzden yarın gece yokum.

– Sen bilirsin bey, diye yağlıkçının karısı fıkır fıkır güldü.

İkinci gece yağlıkçı, iki mendil nadide yemiş ile birlikte Unkapanı'ndaki eve gitti. Bu sefer kendisini hanım karşıladı. Yemekler, içkiler hazırlandı. Tam hoşbeş edecekleri sırada hanım sordu:

— Neden ilk gece gelmediniz?

— Gönderdiğiniz şeylerin mânâsını anlayamadım da ondan.

— Pekâlâ, kim anladı?

— Bizim hanım.

İşte tam o sırada mahalleli bu eve yabancı bir adamın geldiğini öğrenip evi bastı. Kadınla adamı karakola götürdüler. Kadın yolda:

— Yağlıkçı efendi, eğer bir arkadaşını görürsen kendi evine üç taş attır. Senin hanımın bunun üzerine ne söylerse gelip sana haber versinler, dedi.

— Yağlıkçı da "peki" dedi.

Bunları nezarethanede ayrı ayrı yerlere kapattılar. Böylece bir ay geçti. Bir gün yağlıkçı, sokağa bakan demir parmaklıklı pencereden dışarıyı seyrederken bir arkadaşını görüp seslendi:

— Yahu! Bizim eve git. Pencereye üç taş at. Karım ne söylerse gel bana bildir.

Yağlıkçının arkadaşı "peki" deyip söylenenleri yaptı. Hanım da evde oturmuş, tentene örüp günleri sayıyordu. Kocasının arkadaşı eve bir taş atınca hanım yüksek sesle halayığına seslendi.

— Aaa! Bahtiyar! Bizim efendi basılmış.

Eve ikinci taş atılınca:

— Bahtiyar! Efendi beni çağırıyor.

Üçüncü taş atılınca:

— Bahtiyar! Yarın kalkar bizim efendiyi görmeye gideriz.

Bu sözleri işiten yağlıkçının ahbabı gidip arkadaşına karısının söylediklerini anlattı:

Beri tarafta da yağlıkçının karısı kolları sıvayıp halayığıyla beraber gayet güzel bir yaprak dolması pişirdi. Sonra bir de un helvası kavurdu. Ertesi gün bir tencere yaprak dolması ile koca tencere un helvasını arabaya yükleyerek nezarethanenin kapısına gitti. Kapıdaki gardiyana birkaç lira vererek:

– Efendi, dün gece annemle babamı rüyamda gördüm. Yaprak dolması ile helva istediler. Müsaade edersen ruhları şad olsun diye mahkûmlara helva ile dolma dağıtacağım, dedi.

Gardiyan rüşveti görünce bu masum isteğe hayır diyemeyip hanım ile halayığı içeri bıraktı. Kadın önce kocasının yanına gidip koynundan çıkardığı evlenme cüzünü eline tutuşturdu. Sonra gidip öteki hanımı buldu. Kaşla göz arasında kendi çarşafını ona giydirdi. Onunkini de kendi giydi. Sonra halayığı ile beraber kadını dışarı gönderip kendisi nezarethanede kaldı. Birkaç gün böylece geçti. Sonra kocası ile beraber müstantikin* karşısına çıkartıldılar.

Müstantik:

– Bire rezilller, bire hayasızlar! Utanmadınız mı mahallenin namusu ile oynamaya!** deyince yağlıkçı:

– Efendi yanlışınız var. O evin sahibi hacca gitti. Hanımı da birkaç günlüğüne annesinin yanına gidecekmiş. Bizim hanıma "Evi bekleyin" diye rica etmiş. Karı koca evi beklemeye

---

* müstantik: eskiden sorgu yargıçlarına verilen isim.

** Eskiden mahallenin hükmi şahsiyeti var sayılırdı. Bir mahallede ev kiralayabilmek için o mahalleden saygın kişilerin onayını almak gerekirdi. Mahallenin çoçuklarının terbiyesinden bütün mahalleli sorumlu tutulur, mahallenin delikanlıları mahalledeki genç kızların namusundan sorumlu olurdu. Mahallede kanun dışı bir hareket yapıldığı duyulduğu andan itibaren, mahalleli tarafından bastırılırdı. Çoğu zaman zaptiyelere bile mahal kalmazdı.

gittik. Fakat etraf bizi tanımadığı için başka bir şey sandı. İnanmazsanız bakın. Hanım sen de çıkar. Evlenme cüzdanlarımız da burada. Kafa kağıtlarımız da.

Müstantik tekkik edince hakikaten bunların karı koca olduğunu anladı. Bin bir tane özür dileyerek onları dış kapıya kadar geçirdi.

Yağlıkçı eve dönünce karısının ayaklarına kapanıp özür diledi. Bir daha böyle işler yapmayacağına dair yemin etti. Ömürlerinin sonuna kadar mutlu yaşadılar.

Kozluk Cini

Vaktin zamanında bir padişah vardı. Bunun gayet güzel bir kızı oldu. Kız on beş yaşına gelince öylesine güzelleşti, öylesine dilberleşti ki gören gözler kamaşır, anlatmaya kalkışanların dilleri tutulurdu. Velhasıl ne desek boş. Hele kalemle tasviri imkânsız. Topuklarını döven lepıska saçları, pembe yanakları, yaprak yeşili gözleriyle, Allah'ın özene bezene yarattığı, talihli kullarından biriydi. Teni o kadar nazikti ki bir fiske vursan vücudu kırk gün kırk gece titrerdi. Kolları paluze* gibi, parmakları fildişi renkli kalemler gibiydi.

Padişah, bu güzeller güzeli Sultan Hanım için dillere destan, şahane bir saray yaptırdı. Sarayın dayanıp döşenme işini de Emirbari'de oturan bir Yahudi'ye ısmarladı çünkü adam son derece zevk sahibiydi. Ancak krallara, kraliçelere, padişahlara, sultanlara çalışırdı. Ve bunlardan, yaptığı iş karşılığında torba torba, kese kese altın alırdı. Nihayet saray döşendi. Dilber sultan da yeni evini görüp gezmeye geldi. Ya-

* paluze: eski bir İstanbul tatlısı.

hudi ise sultanı görür görmez can evinden vurulup yıldırım aşkına tutuldu. O günden sonra ne bir yudum ekmek yiyebiliyor, ne de uyku uyuyabiliyordu. Gece gündüz düşünmekten perişan bir serseri oldu. Ne yapsam da sultanla evlensem diyerek arpacı kumrusu gibi düşünür dururdu. Hiç o güzeller güzeli sultanı tutup bir Yahudi'ye verirler mi? Vermezler tabii.

Yahudi bir desise* kurmaya karar verdi. Padişahın huzuruna çıkarak:

— Padişahım eğer irade-i seniyeniz olursa Sultan Hanım, kölenizin evine buyursunlar. Hem fakirhaneyi şereflendirirler hem deniz havası alır, hem de Acem padişahı için Mısır'dan gelen güzel hediyeleri görürler. Eğer beğenirlerse istediklerini alabilirler. Ben yenilerini ısmarlarım. Bu iş için bir saatlik vakit yeter de artar bile. Siz de teşrif buyururursanız köleniz minnettarınız olacak, dedi.

Padişahın gelemeyeceğini bildiği hâlde onu da davet ederek şüpheyi üzerine çekmemek istemişti. Velhasıl padişahın alt çenesinden girip üst çenesinden çıkarak nihayet müsadeyi kopardı. Bir hafta sonra alaturka saatla on bir buçuk sularında, Sultan Hanım Yahudi'nin davetine icabet etti. Dört cariyesi, dadısı ve sandalcılarıyla beraber, süslenip püslenerek hava almaya gitmenin sevinciyle, yeni hediyeler görme heyecanı ile dolup taşan Sultan Hanım, Yahudi tarafından tantana ile karşılandı. Yahudi'nin Eyüpsultan'da Emirbari'deki yalısı, görülmemiş bir ihtişamla dilber kızın ayakları altına serildi. Bir tarafta kuş sütüne varıncaya kadar her şeyi tamam olan sofralar, bir tarafta sazendeler, bir tarafta rakkaseler, renk renk tüllere bürünmüş yarı çıplak cariyeler; Sultan Hanım'a eşsiz mücevherler, kumaşlar ve sanat eserleri sundular. Böy-

* desise: hile.

lece dakikalar zevk ve neşe içinde akıp gidiyordu. Gidiyordu ama hain Yahudi de planını tatbike başladı. Bodrum katına sakladığı çingenelere gereken talimatları verip yine Sultan Hanım'ın yanına döndü.

Çingeneler ilk iş, yalıya bağlı duran altın yaldızlı saltanat kayığına atladılar. Püfür püfür esen tatlı yaz rüzgârının tesiri ile uyuyakalan kayıkçıları kementle boğduktan sonra, kayığı açığa götürüp orada batırdılar. Bundan sonra sıra Sultan Hanım'ın dadısıyla cariyelerine geldi. Çalgı sırasında sultanın gafletinden istifade ederek bir bahane ile onları dışarı çağırıp boğuyorlar, sonra da cesetlerini denize atıyorlardı.

İşlerin yolunda gittiğini gören Yahudi bir el işaretiyle sazendeleri, rakkaseleri savdı ve Sultan Hanım'la baş başa kaldı. Vakit de epey geç olmuştu. Sultan Hanım:

– Gösterdiğiniz misafirperverliğe teşekkür ederim, ayırdığım eşyaları sarayıma gönderirsiniz. Ben artık gideyim, Padişah babam merak eder, dedi. Fakat Yahudi iğrenç bir sırıtmayla kızın elini tutmaya çalışarak:

– Ne olur Sultanım, beni bırakıp gitmeyin. Size vurgunum, benimle evlenin, dedi. Sultan silkinerek Yahudi'nin elinden kurtuldu, onun bu küstahlığını yanına koymayacağını haykırarak dadısını ve cariyelerini çağırdı. Fakat heyhat! Öldürüldükleri için cevap veremiyorlardı. Üstelik kapı da kilitlenmişti.

Sultan çılgına döndü:

– Alçak, iğrenç Yahudi! Senin gibi bir köpekle evleneceğimi mi sanıyorsun? Sen benim ayağımın türabı* bile olamazsın. Varlığın bana ancak tiksinti verebilir. Ölürüm de sana varmam, deyince bu sözlere çok kızan Yahudi, kıza olan aş-

* türap: tozu, toprağı.

79

kını unutarak eline geçirdiği bir bıçakla kızın üzerine saldırdı. Biraz sonra biçare kız kanlar içinde yerde yatıyordu. Yahudi soğuk kanlılıkla kızın cesedini bir çuvalın içine koydu. Ve bu ağırca yükü sırtlayıp Kasımpaşa Mezarlığı'na gitti. Eski bir kabri açarak çuvalı içine bıraktı. Lahdi kapadıktan sonra da evine döndü.

O sırada sarayda, avdet etmeyen* Sultan Hanım yüzünden bir telaştır başladı. Padişah hem endişeli hem de çok kızgındı. Derhal emirler vererek Yahudi'yi huzuruna getirtti. İtile kakıla huzura gelen hain adamı sorguya çektiler. Fakat o, korkunun da verdiği gayretle, çok üzülmüş gibi ağlaya sızlaya

– Efendimiz Sultan Hanım bizden gitti. Nereye gitti bilemem. Başına bir şey geldiyse yanarım. Ne olduysa benim yüzümden oldu. Ne kadar da neşeliydi! Saraya gönderilmek üzere ne güzel şeyler seçmişti! diye ağlayıp haykırmaya başladı. Bunun üzerine Haliç'e dalgıçlar salındı. Sabahlara kadar süren çalışmalardan sonra kayıkçıların, cariyelerin ve dadının cesetleri bulundu. Batırılan saltanat kayığı da çıkarıldı. Sultan Hanım'dan ise bir haber yoktu. Ağlayıp feryat figan eden Yahudi'nin numarasına inanan padişah, derin bir mateme büründü. Kederinden yataklara düştü.

– Ah benim gül yüzlü melek yavrum! diyor başka bir şey demiyordu.

Bu olayın olduğu günlerde Kürt'ün biri, Malatya'dan kalkıp para kazanmak için İstanbul'a gelmişti. Son derece fakir olduğundan aylarca yaya yürüdüğü için ayakları kan içinde kalmıştı. Nihayet İstanbul'a vasıl olmuştu. Vakit gece yarısı, delikanlının cebinde metelik yok. Yorgunluktan ölüyordu za-

---

* avdet etmeyen: geri dönmeyen.

vallı. Ne yapsın? Kendine göre yatacak bir yer bulması lazımdı. Oracıkta gördüğü mezarlığa girip kabirlerden birinin üzerine uzanıverdi. Meğer girip yattığı mezarlık, Kasımpaşa Mezarlığı imiş. Biçare delikanlı yorgunluktan baygın, uyumak üzere iken yattığı taşın altından inilti sesleri duydu.

– Eyvah! dedi. Annem derdi İstanbul'da cinler var, diye. Demek bu da Kozluk Cini. Yine başını koydu tam uyuyacak, yine inildeme sesleri geldi aşağıdan. Kürt bu sefer kızdı:

– Ulan Kozluk Cini, çeneni tut! Yorgunum uyuyacağım. Fakat inildeme sesleri devam edince Kürt'ün kafası iyice kızdı. Son derece hiddetlenerek bağırmaya başladı.

– Sana söylüyorum! Uyuyacağım dedim, dinlemedin. Şimdi seni oradan çıkarıp atayım da gör!

O şiddet ve hiddetle delikanlı lahdin kapağını kaldırınca bir de ne görsün? Dipte kocaman bir çuval, inilti de çuvalın içinden geliyor. Çuvalı mezarden çıkarıp ağzını açınca biçare, adamakıllı sersemliyor. Kara selvi ağaçları arasından süzülen ay ışığı altında, pırlantalarla süslü, ipek elbiseli, periler kadar güzel bir kız kanlar içinde yatıyordu.

Kürt aklını biraz toparlayınca hakiki bir cin karşısında olduğunu sanıp titremeye başladı.

– Ulan Kozluk Cini seni buraya kim koydu? Bak ben seni çıkardım. O kadar iyiliğimi gördün, ne olur beni çarpma.

Sultan temiz hava alınca yavaşça kendine geldi. Karşısında son derece cahil ve saf birinin olduğunu anlayınca:

– Olur, eğer dediklerimi yaparsan seni çarpmam. Yoksa vay hâline! Şimdi git denizden bana biraz su getir de üzerimdeki kanları temizleyeyim, dedi.

Kürt bin güçlükle denizden su getirip kızın üstünü başını temizledi. Çuvalı da kanlarından arındırdı. Sultan:

– Şu tekneleri görüyor musun? Beni onlara bindir. İstanbul'a götür.* İstanbul'da bir imam evi var. Ben o imam evinde kalacağım. Kürt:

– Etme Kozluk Cini, gitmeyelim. Burada kalalım. Ayaklarım yorgunluktan patladı, diye yalvarınca Sultan, kuşağının arasından çıkardığı keseden biraz para alıp Kürt'ün eline tutuşturduktan sonra:

– Beni mutlaka karşıya geçireceksin. Hele bir dediklerimi yapma, seni çarparım.

Bu tehdide kanan Kürt, ne yapsın korku belası, Sultan Hanım'ı yine çuvalın içine koyup sırtlandı. Sahile inip Tekneci adında bir kayık çağırarak kiraladı. Böylece Kürt Memo, Cibali taraflarında karaya ayak bastı. Zavallı Kürt adam bu sefer de imam evi aramaya başlıyor. "İman evi! İman evi!" diye bağıra bağıra sırtında çuval, Cibâli'den köprü, köprüden Sultanahmet derken Cerrahpaşa'ya kadar geldi. Arada bir:

– Artık hâlim kalmadı, götüremeyeceğim, deyince Sultan Hanım Kozluk Cini'ymiş gibi:

– Hele bir götürme, seni şimdi çarparım, diye zavallı delikanlıya korku veriyordu. Velhasıl sonunda adamın biri, "İman evi! İman evi!" diye sokaklarda bağırıp duran bu pejmürde kılıklı delikanlıya sordu.

– İman evi mi imam evi mi?

– Hah işte doğru bildin. Kozluk Cini deyiverdi, ben imamın evini arıyorum, deyince adam imamın evini bir güzel tarif etti. Memo'cuk yorgunluktan perişan bir hâlde nihayet imamın kapısını çaldı. Karşısına çıkan imama:

– Al şu çuvalı, Kozluk Cini'ni sana getirdim.

* İstanbul surların içindeki alandır. Surların dışında kalan bölgelere, İstanbul denmezdi.

– O da kim?

– Aç çuvalı da kim olduğunu gör, diyen Memo yorgunluktan oracığa baygın yığılıverdi. İmam Efendi çuvalı açınca bir de ne görsün. Pırlanta işlemeler içinde gayet güzel esvaplar giymiş dilberler dilberi bir taze. Hemen iki oda hazırlandı ve kar gibi yataklara Memo ile Sultan Hanım yatırıldı. Sultanın yaralı olduğu anlaşılıp yaraları tımar edildi. Bir hafta boyunca İmam Efendi bunlara gayet iyi bakıp misafirperverlik gösterdi.

Oldukça kendilerine geldikleri bir gün sultan:

– Memo; Beyazıt'a git. Mürekkepçiler Kapısı'ndan bana kâğıt kalem, mürekkep al da gel dedi.

Kürt:

– Ben onu diyemem, lisanım kıt, edemem Kozluk Cini, deyince sultan:

– Git, dediğimi yap ayol! Yoksa çarparım seni, diye tehdit etti.

Kürt Memo ne yapsın, korku belası! Mecburen razı olup sokağa çıktı. Sokakta hiç durmadan nefes almadan:

– Merkepçiler Kapısı! Merkepçiler Kapısı! diye haykırıp yürümeye başladı. Nihayet Beyazıt'a vardı.

Civardaki ahali, "Merkepçiler Kapısı, Merkepçiler Kapısı!" diye söylenen bu garip kıyafetli, yakışıklı delikanlıya bakıp bakıp gülüyordu. Gülüyorlardı ama adamın birinin de merakına mucip oldu:

– Delikanlı! dedi. Merkepçiler Kapısı'ndan ne kastediyorsun?

– Hiiiç... Ne kast edeceğim? Kozluk Cini deyiverdi. Oradan merkep ve kâğıt kalem alacağım.

– Haaa! Hay Allah lâyığını versin. Merkepçiler değil, Mürekkepçiler Kapısı'nı mı arıyorsun? Gel seni götüreyim.

Böylece Memo, kâğıt kalemi ve mürekkebi alıp eve döndü. Sultan Hanım, oturup sadrazama bir mektup yazdı.

"Ben Padişah'ın kızıyım. Başıma bir felaket geldi. Babama haber vermeyin. Sarayın karşısına bir konak yaptırın. Mefruşatını Eyüp Sultan'daki Yahudi tanzim etsin. İnşaata da size bu mektubu getirecek olan Kürt Memo baksın" deyip zarfı kapadıktan sonra:

– Al bunu, Bâbıâli'deki Sadrazam Paşa'ya götür, dedi.

– Kozluk Cini! Ben bunu yapamam. Bana yapamayacağım işleri gördürüyorsun.

– Nasıl yapamazmışsın, ne var bunda? Zarfı götürüp Bâbıâli'deki koca kavukluya verirsin. Başka kimseye değil. Ne diyorsam onu tut. Yoksa çarparım seni, ona göre!

Kürt Memo ne yapsın? Bu güzel Kozluk Cini'nin emrine itaat etmekten başka elinden bir şey gelmiyordu. Kürtcağız sokağa çıkıp:

– Bak Kapısı! Bak kapısı! diye söylenerek yürümeye başlıyor. Bak Kapısı! Bak Kapısı! Kozluk Cini deyiverdi bana. Bak Kapısı! Bak Kapısı!

Velhasıl adamın biri nihayet bunu derdini anlayıp Bâbıâli'yi tarif etti. Kürt Memo merdivenlerden çıkıp:

– Koca kavukluyu göreceğim, dedi. Onu hemen kovdular. Fakat o:

– Koca kavukluyu mutlaka görmeliyim. Yoksa Kozluk Cini beni çarpar, diye feryadı bastı.

Sadrazam bağrışmaları duyunca etrafa sordu. Meseleyi anlayınca gülümseyerek:

– Bırakın gelsin bakalım, dedi.

Kürt kan ter içinde huzura girip mektubu verdi.

– Al! Bunu sana Kozluk Cini gönderdi, dedi.

Sadrazam, imzanın Sultan Hanım'a ait olduğunu görünce yerinden fırladı. Fırladı ama Kürt Memo'nun da ödü patladı!

– Amanın! Koca kavukluyu Kozluk Cini çarptı! diye bağırarak paldır küldür kaçtı.

Sadrazam şoktan kurtulup kendine gelince Kürt'ü yakalatıp hamama gönderdi. Zavallı Kürt:

– Hamama girmeeem! Ölmeden cehenneme gitmeeem! diye sızlansa da ona aldırış etmeyip üstünü başını temizlediler, yıkayıp pakladılar. Gayet güzel elbiseler giydirip onu Efendi kılığına soktular. Sonra alıp yeniden sadrazamın huzuruna çıkardılar. Sadrazam delikanlının nurlanan yüzüne, yakışıklılığına hayran kalıp cevap olarak yazdığı mektubu Kozluk Cini'ne vermesini Memo'ya tembih etti. Delikanlıyı landona* bindirip imamın evine kadar götürdüler. Kürt yolda habire:

– Ah Kozluk Cini ah! Nihayet koca kavukluyu da çarptı. Bu Kozluk Cini adama neler yaptırıyor? diye söylenip duruyordu. Eve gelir gelmez Sultan Hanım'a:

– Ulan ne domuzmuşun sen! En sonunda koca kavukluyu da çarptın beee! diye bağırdı ve mektubu verdi.

Kız, "Emirleriniziii başımın üstünde yeri var. Arzularınız karşısında boynum kıldan incedir" yazılı satırları memnûniyetle okudu.

Günler akıp geçerken Kozluk Cini'nin emriyle Memo'ya hocalar tutuldu. Zeki delikanlı pek kısa bir zamanda konuşmasını, oturup kalkmasını, okuyup yazmasını öğrendi. Bu esnada inşaat süratle tamamlanıp döşenmesi de nihayete erdi. Sultan Hanım kendisine çok yakınlık göstermiş olan İmam Efendi ile karısını ve Memo'yu beraberine alarak yeni konağa

* landon: at arabası olup şimdiki taksilerin yerine insanları taşıma aracı olarak kullanılırdı.

yerleşti. Memo, Kozluk Cini'nin emri üzerine Yahudi'yi ziyafete çağırdı. Fakat hain adam:

– Ben gelemem, efendim. Evde dört yaşlarında bir kızım var. Anası öldüğü için ona ben bakıyorum, deyince Memo:

– Ziyanı yok! Onu da getirip bizde yatıya kalırsınız, diye ısrar etti. O zaman Yahudi kabul etti. Kızını alıp ziyafete geldi. Bir tarafta sofralar, bir tarafta sazendeler, bir yanda çengiler rakkaseler... Yenilip içilip hoş geçildikten sonra herkes yatmaya çekildi.

Herkes uyuduktan sonra, Sultan Hanım Memo'nun odasına gelip delikanlıyı uyandırdı. Yavaş fakat kati bir sesle:

– Al bu bıçağı git, Yahudi'nin küçük kızını kes, dedi.

Memo dehşet içinde kalarak:

– Fakat ben yapamam. Yalvarırım Kozluk Cini, bana böyle kötü işler yaptırma! deyip sızlandı. Kozluk Cini;

– Sana ne söylüyorsam yapacaksın, anladın mı? Yoksa seni yıldırım çarpmıştan beter ederim!

Memo, Kozluk Cini ile başa çıkamayacağını anlayınca aldı bıçağı eline, Yahudi'nin kızını kesti. Kesti ama durumu anlayan Yahudi, bir vaveyladır kopardı. Memo'nun üzerine saldırdı.

Memo'nun dili tutulmuş, Kozluk Cini diyemiyor "Koo... Koo... Koo..." diye kekeleyip duruyordu. Bit türlü Kozluk Cini diyemedi. Bağırtılar padişahın sarayından duyulunca padişah merak etti. Harem ağlarını gönderip:

– Ne var, ne oluyor? diye sordurdu. Neticede Yahudi saraya çağrıldı. Adam başına gelenleri ağlaya ağlaya anlatıp adalet dilendi. Bunun üzerine padişah hiddetlenerek:

– Yarın bu Yahudi'nin muhakemesini ben göreceğim! diye emir verdi.

Ertesi sabah baltacılar* Kürt Memo'yu yaka paça huzura getirdiler. Padişah:

– Bre sefil, bre hain, bre kalleş adam! Küçük bir çocuğa kıymaya nasıl dayandı yüreğin? Emanete el uzatmaya nasıl vardı elin? Misafire böyle davranmak nerede görülmüştür? Tez söyle bakayım! Hangi maksatla bu cinayeti işledin?

Kürt Memo, boynunu büküp önüne bakarak:

– Senin sorduklarını ben bilemem, ne bilirse Kozluk Cini bilir. Eğer dediğini yapmasaydım beni çarpacaktı, dedi. Padişah:

– Çarpacak mıydı! O da nesi? Çabuk şu Kozluk Cini'ni buraya getirin bakayım!

Kozluk Cini'ne haberler gönderdiler. O da:

– Mahkeme salonuna zar** çekilsin de öyle geleyim, dedi. Mahkeme salonuna ipek bir zar çektiler. Kozluk Cini geldi. Padişah:

– Kozluk Cini misin nesin! Utanmaz mısın misafirine böyle hareket etmeye? Niye yaptın bu işi, söyle bakayım! Yoksa boynun kıldan incedir.

Kozluk Cini:

– Madem sordunuz söyleyeceğim ama bir şartla! Salonun kapılarına muhafız koyun ki ne kimse girebilsin ne kimse çıkabilsin.

Padişah:

– Pekâlâ! Muhafızlar kondu. Şimdi söyle bakalım, deyince Sultan Hanım sesi teessüründen titreyerek:

* baltacı: cellat.
** zar: haremlik selamlık ayrımını temin etmek için erkekler ile kadınlar arasına konan ince ipek perde.

– Efendimiz! Sorun o Yahudi alçağına, dadımı cariyelerimi katlederek yaldızlı saltanat kayığımı batırıp kürekçilerimi öldürerek bana tasallut etmeye utanmaz mı? Ben kendimi savunmaya kalkınca bıçağı ile vücudumu kan revan içinde bırakarak delik deşik ettiği bedenimi çuvala tıkıp Kasımpaşa Mezarlığı'nda eski kabirlere gömmeye arlanmaz mı? Kendisi misafirine böyle davranırsa benden başka türlü muamele görebilir mi? dedi ve zarı çekip babasının boynuna sarıldı. Yahudi'yi derhal yakaladılar. Baba kız uzun uzun kucaklaştıktan sonra Sultan Hanım:

– İşte babacığım! Beni o fena vaziyetlerden kurtaran, canımı borçlu olduğum delikanlı budur! dedi.

Aradan günler geçti, Sultan Hanım Kürt Memo ile evlendi. Kürt Memo kısa zamanda bilgili ve görgülü bir efendi oldu olmasına ama sık sık:

– Nihayet Padişah efendimizi de çarptın, değil mi Kozluk Cini! Ah sen neymişsin sen? diye sultan zevcesine takılmaktan kendini alamadı...

Gelenler Yazılır, Gidenler Silinir
Taş Tahtadır Dünya

Vaktiyle Aksaray'ın yan sokaklarından birinde bir hanımla bir efendi yaşardı. Mütevazı bir hayatları olan kendi hâllerinde bir aileydiler. Evlerinin karşısında da bir cami vardı. Gel zaman git zaman camiye çok güzel sesli bir müezzin tayin edildi. O ezan okumaya başladığı zaman müminlerin gönülleri şad olurdu. Olurdu ama bizim hanım da bu güzel sesli müezzine canı yürekten vurulmuştu. Müezzin, minarede "Allah'u Ekber, Allah'u Ekber" demeye başladı mı kadın: "Allah'ım ne güzellikler yaratmışsın! Bu ses ciğerlerimi titretiyor. Ah! Canını seveyim. Nasıl da güzel okuyor. Sana kurban olayım. Allah seni cihanda bir tane yaratmış. Gözünü seveyim" diye boyuna kendi kendine dil döküyordu. Her gün beş vakit bu dualar tekerrür ediyordu. Kadının kocası bunları işite işite fevkalade müteessir oluyor hem de kıskançlığı depreşiyordu. O yüzden bir desise* düşündü.

* desise: hileli bir tuzak.

Efendi bir gün sokağa çıktı. Ramazan'a da on on beş gün vardı. Adamın birini buldu. Ona şöyle tembih etti.

– Falan yerdeki eve git. Kapısını çal. Çıkan hanıma de ki: "Müezzin efendinin selamı var. Sizi görmüş. Hayran kalmış. Acaba yarın gece evinize gelsem beni kabul eder misiniz? diye soruyor." İşte bu mesajı ona iletirsen ben de sana hak ettiğin bahşişi veririm.

Efendi ticaretle uğraştığı için hanımına daha evvelden bir gece sonra eve gelmeyeceğini haber vermişti.

Ulak sanki kendisini müezzin göndermiş gibi rol yaparak efendinin mesajını iletti. Ertesi sabah efendi kalktı, sanki şehirler arası uzak bir mesafeye gider gibi bavullar mavullar hazırlayıp karısıyla vedalaşarak evden ayrıldı. Hanımı gayet temiz ve titiz, hamarat bir hanımdı. Müezzin efendi gelecek diye çeyizinde ne kadar güzel şeyleri varsa ortaya döküp gelinlik takımlarıyla müezzine kaba bir döşek yaptı. Döşek pufla gibi oldu. İçine birisi yatsa gömülecek... Öbür taraftan efendi evden ayrılır ayrılmaz bir misafirhaneye gitti. Akşama kadar bir yığın abur cubur yiyerek karnını şişirdikten sonra üstüne bir hayli sinameki içti. Yatsıdan sonra başına kallavi bir sarık, arkasına da müezzinlerin giydiği cinsten bir cübbe uydurarak geldi, evinin kapısını çaldı. Etraf ancak bir şinanayla* aydınlandığı için fevkalade loştu. Kadın kendi kocasını müezzin efendi zannederek kemali hürmetle karşıladı. Efendi sarığını cübbesini çıkarıp hanıma verdikten sonra odaya buyurdu. Kadın kahve pişirmeye gitti. O devrin zamanında kav** ile ateş yakılırdı. Kadın kahve pişirmekteyken efendicağız kav çanağının içine abdest bozdu. Sonra odanın

---

* şinanay: idare lambası.

** kav: mukavvanın üstüne sırayla kibrit başları yapıştırılır, bunlar kopartılarak zımparaya sürtmek suretiyle ateş elde edilirdi.

her tarafını buladı. Ne yatak ne yorgan ne de sedirin üstü temiz kaldı. Her tarafa adamın dışladığı necaset bulaştı. Hanım kapıdan görünür görünmez efendi:

– Amanın! Karnım çok ağrıyor. Başka gece gelirim artık, deyip sarığı cübbeyi kaptığı gibi soluğu sokakta aldı. Misafirhaneye gidip temizlenip çantasını bavulunu alan efendi, biraz sonra çantasıyla bavuluyla seyahatten gelir gibi evine döndü. Kapıyı çalıyordu ama kapıyı açan kim? Kadıncağız nereye elini atsa pislik içinde.

– Hay gözün kör olsun, canın çıksın herif! İçin çıksın herif! diye söyleniyordu. Kocası dışarıdan pat pat kapıyı çalıp:

– Ayol hatun açsana kapıyı! dedikçe kadın:

– Aman bey geliyorum geliyorum! diyor ama bir türlü kapıyı açamıyordu. Nihayet ellerini yıkayıp geldi. Kocasına kapıyı açtı. Adam içeri girmek isteyince:

– Aman bey, dedi. İçerleri kedi kirletmiş, feci olmuş, sana misafir odasında yer yapayım. Eeee! Niye geri geldin. Bir yaramazlık mı oldu? Adam:

– Arkadaşımdan mektup aldım. İşler kıvamına gelmemiş. Dükkândan çıkacağım sırada haber alınca artık gitmeme lüzum kalmadı, dedi. Ve gizlice kıs kıs gülerek misafir odasına serilen döşeğe yattı. Bu arada kadın, bir kazan su ısıtıp sabaha kadar pislikleri temizlemek için çamaşır yıkadı. "Ben bu şahane örtüleri kendi elimle işlemiştim. Allah'ından bul herif. Sürüm sürüm sürün herif" diye inkisar* etti. Ertesi gün müezzin efendi minareye çıkıp ezan okumaya başlayınca: "Hay adın batsın, sesin kesilsin, gudubet sesli herif!" diye inkisarlar savurdu. Kocası da için için gülüp duruyordu. Neyse, aradan on on beş gün geçti. Ramazan geldi. Efendi dedi ki:

* inkisar etmek: beddua etmek.

– Hanım iftar zamanı geldi. Kimleri çağıracağız. Kaç sofra yapacaksın?

Kadın:

– Eh! Bir iki sofra hazırlarız, diye cevap verince efendi:

– İmamı, müezzini vs. çağırırız" dedi. Kadın huşunetle:*

– Aman bırak şu müezzin olacak tıynetsiz herifi! diye söylendi. Adam:

– Hanım ne biçim söz o? Öyle herkesi çağırıp müezzini seçmek olur mu? Adam karşı komşumuz. O kadar da güzel ezan okuyor, dedi.

Neyse kadın kocasına söz geçiremeyince razı olmaya mecbur kaldı. İftar günü hulül etti.** Tesadüf bu ya herkesten evvel, ezana çeyrek kala müezzin efendi geldi. Hoş geldin beş gittinden sonra evin efendisi müezzine:

– Sen yabancı değilsin, gidip turşu alayımda geleyim, diyerek müezzinle hanımını yalnız bıraktı. Karısı da ocakta puf böreği kızartıyordu. Sol elinde tava, sağ elinde maşa, duman dumana odaya girdi.

– Seni gidi gözü kör olasıca herif! Oraya ettin, buraya ettin anladık. Peki kav çanağından ne istedin be herif? deyip odadan çıktı.

Müezzin ise "Eyvahlar olsun! Evde deli var, şimdi ne yapsam acaba?" diye köşesine büzüldükçe büzülüyordu. Biraz sonra kadın sol elinde tava, sağ elinde maşa duman dumana yine içeri girip: "Kör olasıca, adı yere gelesice herif, oraya ettin buraya ettin, kav çanağımdan ne istedin?" diye bağırıp tekrar odadan çıktı. Müezzin ise neye uğradığını hepten şaşırdı.

* huşunetle: haşin, acımasız.
** hulül etti: gerçekleşti.

Ne yapsın? Bereket, o sırada evin efendisi geldi. Bakmış ki müezzinin benzi uçmuş, eli ayağı sapır sapır titriyor.

– Ne oldu müezzin efendi? diye sorunca müezzin:

– Efendi sizin evde deli mi ne var? Başında yemeni, elinde tava "Gözü kör olasıca, kav çanağımdan ne istedin, adı yere gelesice" diye söylenip söylenip gidiyor, dedi.

Efendi:

– Haaa! O mu? Bizim deli aşçı olacak... Ama zararsızdır. İyi yemek pişirdiği için tutuyoruz, yol vermiyoruz.

– Aman efendim pek çekindim. Bilseydim gelmezdim vallahi. Hay Allah! Hay Allah!

O iftardan sonra artık kadın kocasından başkasına bakmayıp muti* oldu. Mesut bahtiyar yaşayıp gittiler. Onlar ermiş muradına...

---

* muti: tabi.

Keloğlan Şehzade

Evvel zaman içinde İstanbul'da Aksaray'ın arka sokaklarında fakir bir keloğlan vardı. Fakirdi ama çok zekiydi. Bir gün kahveye gitti. Yana yakıla fukaralığından bahsederken kahveci ona:

– Yahu burada niye vakit kaybediyorsun? Gezen tilki, oturan aslandan yeğdir. Lâleli yokuşunda bir konağın hanımefendisi, kendisine başvuran fukaralara yardım ediyor. Git de rızkını orada ara, dedi. Bunu duyan keloğlan kalktı yola düştü. Hanımefendinin evi, yüksek bir yamacın kenarında idi. Keloğlan yamacın başına çıktı, oradan bağırdı:

– Aaaahh! Üç liram olsa hem vezir olurum hem şehzade olurum hem padişah olurum, deyip kendini yamaçtan aşağıya yuvarlaya yuvarlaya kaldırıma kadar indi. Toz toprak içinde tekrar yamacın başına çıktı. Tekrar bir avaza "Aaahhh! Üç liram olsa hem vezir olurum hem şehzade olurum hem padişah olurum" diye feryat etti. Yine attı kendini yokuştan aşağı.

Lambur lumbur, paldır küldür kaldırıma kadar kendini yuvarladı. Üçüncü kere yine çıktı yamacın başına, yine feryat etti. "Aaahhh! Üç liram olsa hem vezir olurum hem şehzade olurum hem padişah olurum" deyince onu seyreden hanımefendi penceresini açtı:

– Keloğlan, keloğlan, gel buraya. Al şu üç lirayı da göreyim bakayım nasıl padişah olacaksın, dedi. Keloğlan hanımefendiye sağlık ve afiyeti için ve uzun ömürlü olmaklığı için dualar ederek oradan ayrıldı. Doğru İstanbul'un en meşhur aşçısına gitti.

– Yemen Padişahı'nın oğlu, sizin dükkânın az ilerisindeki hamamda yıkanmaya gitti. Saat tam on ikide öğle yemeği saatinde hamama en iyisinden bir tabla yemek getirin, dedi. Oradan doğru şerbetçiye gitti. Şerbetçi deyip de geçmeyin. Bu usta 750 cins şerbet üretir, vezir vüzeranın konaklarına servis yapardı. Ona da bir lira verdi.

– Aman! Yemen Padişahı'nın oğlu şehzade hazretleri, sizin arka sokaktaki büyük hamamı şereflendirdi. Öğlen yemeği saatinden bir saat sonra en güzel şerbetlerinizden istiyor. Buzlu olsun. Bir iki sürahi şerbet gönderin lütfen, dedi. Arkasından doğru kahveciye gitti, ona da:

– Aman! Şu arka sokaktaki hamama Yemen Padişahı'nın oğlu yıkanmaya geldi. Yemekten sonra kahve sever. Şu bir lirayı alın, aman serviste kusur etmeyin, dedi. Ondan sonra da doğru hamama gitti. Üstü başı perişan olduğu için hamamın en kıytırık yerini gösterdiler. Dipte bir kurna verdiler. Bir de kırık bir tas. Başladı orada yıkanmaya. Yıkanırken tellak telaşla hamamı fır dönüyordu. İçinizde Yemen Padişahı'nın şehzadesi kim, diye soruyordu.

– Hay Allah. O kadar tebdil-i kıyafet ettim. Yine mi beni buldunuz? diye homurdandıktan sonra yemeklerden birer yudum alıp burnunu kıvırdı, "Buyurun siz yiyin" diye bütün yemekleri tellaklara verdi. Biraz sonra kahveci çırağı geldi. Yemen Padişahı'nın şehzadesinin kahvesini getirdik, dedi. Bizimki yine:

– Ya hu! Hayret nasıl da izimi buluyorlar? Şaşmamak mümkün değil, diye homurdandı. Bir süre sonra meşhur şerbetçiden buz gibi şerbetler geldi.

– Kardeşim Yemen Padişahı'nın şehzadesi sizin hamamdaymış. Şerbetini getirdik, deyince artık hamamcı şehzadeye nasıl izzet ikram edeceğini şaşırdı. Özel ihtimam ile keloğlanı yıkayıp paklayıp, sırmalı havlulara sardılar. Soğuğa çıkınca dinlence yerinde buz gibi şerbetleri içerken:

– Yahu elbiselerimi göremiyorum. Benim elbiselerim nerede, diye feryat etmeye başladı. Hâlbuki hamama gelir gelmez kimseye hissettirmeden o eski püskü yamalı giysilerini külhana atıp yakmıştı. Bunun üzerine hamamcı gayet mahcup, ellerini ovuşturarak çarşıdan son derece şık çamaşır ve elbiseler getirtti. Özürler dileyerek keloğlana takdim etti. Hamamcı kurnaz. Her şeye tepeden bakan şehzade hazretlerine yaranmak için alâ-yı valâ ile davet edip evine götürdü. Niyeti güzel kızlarından biri ile şehzadeyi evlendirmekti.

Yenip içilip uyku zamanı gelince konağın en mükellef odasını hazırlatıp "Gece ihtiyacınız olur, hem sıkılmayın hem de hizmetinizde olsun" diyerek en güzel kızını da şehzadenin koynuna yolladı.

Bir gündür beş gündür on gündür derken şehzadenin hamamcının konağında ikâmeti uzadıkça uzadı. Hamamcı artık bu şehzadeyi beslemekten usanmaya başladı. On para bile alamadan vire masraf ediyordu. Artık hamamcının ahbapları alay etmeye başladılar.

– Ya hu şu senin damat-ı şehriyari ne oldu? Üstelik duyduğumuza göre kızın da gebeymiş.

Tabii keloğlan durumunu bilmez mi? Sanki Yemen Padişahı'ndan geliyor gibi kendine bir mektup yazdı. Limana gitti. Yemen'den gelen bir geminin tayfasına bu mektubu verdi. Filan adrese götür, hamamcıya vér, diye sıkı sıkı tembihledi. Kalan beş kuruşunu da bahşiş olarak tayfaya verdi. Tayfa hamamcıyı bulup "Yemen Padişahı'ndan senin evinde kalan birine, senin elinle bir mektup verecekmişim" diye nameyi teslim etti. Hamamcı merakından mektubu açtı. Okudu. Sözüm ona Yemen Padişahı: "Benim ciğerparem, iki gözüm evladım şehzadem, küstün gittin. Seni aramadık yer bırakmadık. Zorlukla adresini bulduk. İnat etme gözümün nuru. Sana harçlık göndereceğim. İnat edip yine reddetme" diyordu.

Keloğlanın bu oyunu tuttu. Tamahkâr hamamcı Yemen'den harçlık beklerken keloğlana Yemen Padişahı'nın oğlu diye bir itibar ediyordu ki sormayın gitsin. Böylece bir sene daha geçip gitti. Lâkin bu bir yılın sonunda insanlar keloğlanı yine tiye almaya başladılar. Ona hiçbir saygı göstermiyor, itip kakıp duruyorlardı. Keloğlan öyle oldu ki artık canından bezdi. Çıktı tavan arasına, tavandaki halkaya bir kangal ipi geçirdi. İpin bir ucunu da ilmek yapıp boynuna taktı. Ayağının altına koyduğu tahta iskemleye bir tekme atınca havada bir iki çırpınmadan sonra paldır küldür yere düştü. Zira kancanın bulunduğu yer meğer ki çatıya bir kapakmış. Kapak açılınca aşağıya bir çuvala yakın altın da birlikte boşandı. Keloğlan bu altınların bir kısmını yanına alıp doğru limana gitti. Yemen'den gelen bir geminin kaptanıyla alışveriş edip gemide ne varsa satın aldı. Halayıklar, fevkalade değerli kumaşlar, mücevheratlar, güzel kokular, baharatlar ve daha neler neler... Yüze yakın hamal tuttu. Hamamcının konağının adresini verdi. Hamal başına:

– Bu malları Yemen Padişahı şehzadesine hediye olarak gönderdi diyeceksin ve teslim edeceksin. Bu bahşişi de al bakalım, dedi. Hamamcının konak kapısı çalınınca hamamcı koştu, karısını kızını çağırdı, şehzadeye bir itibar bir itibar...

– Karılar bütün işleri siz görün, şehzadenin nazik teni incinmesin, deyip gelen malları konağa yerleştirdi. Bunun üzerine şehzade hamamcıya bir avuç altın verdi. "Ben padişah babamın ziyaretine gidiyorum" deyip konaktan ayrılarak postaneye gitti. "Senin yirmi beş sene evvel hamile olduğunu anlamayıp çırak çıkardığın Gülizar cariyenden olma oğlun Mustafa, İstanbul'dan seni ziyarete geliyor" diye Yemen Padişahı'na bir telgraf çekti.

O sırada Yemen Padişahı da aşağı yukarı seksen yaşında bir ihtiyardı. Sarayının hareminde, nikâhlı hanımlarından başka yüze yakın cariyesi vardı. Çırak çıkardığı, yani saraydan dışarıda yaşasın diye gönderdiği cariyelerin hesabı sorulmaz iken adlarını nereden hatırlasın? Bütün bunları hesap eden keloğlan, telgrafı o yüzden böyle çekmişti. Yemen Padişahı'nın da o sırada hiç çocuğu yoktu. Zira olanlar kısa ömürlü olup çocukken vefat etmişlerdi. "Memleketin başına varis bırakacağım bir veliahttım yok" diye adamcağız üzüm üzüm üzülüyordu. "Zahir gençliğimde bir cariyeyi demek ki hamile bırakmışım" diye bu habere pek sevindi. O sevinçle, "İstanbul'dan şehzadem veliahttım Mustafa Hazretleri geliyor" diye sarayı onu karşılamak için donattı da donattı. Bütün Yemen heyecan içerisindeydi. Bizim şehzade de sırtında sırmalı elbiseler ve İstanbul'dan padişah babasına aldığı değerli hediyerle Yemen'e yaklaşırken gelişini haber veren toplar atılıyordu. Saray alayları limana karşılayıcı geliyordu. Şehzade Hazretleri diye keloğlanı alıp saraya getirdiler. Keloğlan babasına "Padişah babam" diye sarılırken, Yemen Padişahı da: "Benim aziz veliahttım, canım evladım" dedi. Dedi amma yaşlı yüreği bu büyük sevinci kaldıramadığı için hücceten düşüp öldü. O ölür ölmez saray halkı keloğlanı babasının yerine padişah olarak kabul edip tahta çıkardı.

Bir gün Laleli'deki konağında o muhterem, o iyiliksever hanımefendi ikindi namazını kılmıştı ki kapısı çalındı. Halayıklar koşup hanımefendiye:

– Hanımefendiciğim hanımefendiciğim! Yemen Padişahı hazretleri birçok hediyeler ve cariyelerle Zatı Âlinizi ziyarete gelmişler! deyince hanımefendi:

– Allah Allah! Yemen Padişahı nereden beni tanıyormuş da ziyaretime gelmiş? diye hayret etti. Kıymetli misafirimizi büyük misafir salonuna alın, diye talimat verdi.

Hanımefendi usulünce padişahı karşılamaya lâyık kıyafetleri giyip büyük salondaki değerli misafirine:

– Hoş geldiniz Majesteleri. Benim gibi naçiz ve mütevazı bir hanım ziyaretinizi neye borçludur acaba? deyince keloğlan:

– Aman hanımefendiciğim beni tanımadanız mı? Beni padişah yapan sizsiniz. Unuttunuz mu? Ben, pencerenizin karşısındaki yamaçtan üç liram olsa Yemen'e padişah olurum diye bağıran keloğlan değil miyim? Siz soylu ve merhametli yüreğinizle "Al şu üç lirayı da padişah ol, görelim" diyen hanıme-fendi değil misiniz? Bunun üzerine hanımefendi:

– Ahhh! Yüz yıl yaşasam böyle bir mucize göreceğime inanmazdım. Siz Cenabı Hakk'ın yarattığı nadir zeki, akıllı ve sözünün eri insanlardanmışsınız. Değil padişah olmak impa-rator olmaya bile layıksınız doğrusu, deyip bir kahkaha atmış. Hediyeleri kabul etmiş. Ve padişahla aralarındaki dostluk ömür boyu devam etmiş. Ondan sonra da efsane olmuş. Onlar ermiş muradına...

Fendli Kadın

Vaktiyle İstanbul'un kenar mahallerinin birinde bir hanımla bir efendi vardı. Bu karı koca öyle fakir düşmüşlerdi öyle fakir düşmüşlerdi ki artık yiyecek bir lokma ekmek bile bulamıyorlardı. Hanım kocasına dedi ki:

– Efendi sen bana yardım edersen yiyecek içecek bulurum. Lâkin etmezsen hiç bu işe kalkışmayayım. Görüyorsun ki ikimiz de açlıktan öleceğiz.

Bunun üzerine adamcağız:

– Peki hanımcağızım. Sen ne istersen yapacağım ve daima seni destekleyeceğim, dedi.

– Öyleyse bir planım var. Bu plana göre ben ne dersem sen benim sözüme uy. Şimdi senden rica ediyorum. Akşam bir buçuk* der demez eve gel. Sakın daha erken veya daha geç olmasın. Dakikası dakikasına bir buçukta evde ol.

Bu hanım o kadar güzeldi, o kadar güzeldi ki o kadar olsun. Dalga dalga lepiska saçları, kalçalarından da aşağıya ka-

---

* alaturka saat yani güneşin batışında 12'yi gösterecek şekilde ayarlanmış ezanî saate göre.

103

dar uzanırdı. Uzun kirpikli, badem gibi elâ gözleri süzgün süzgün bakardı. O yanaklar pespembe elma gibi, dudakları kiraz gibi, ağzı inci dişli idi. Hele gerdanı, Allah övmüş de yaratmıştı. O boy, o bos, o kusursuz endam bir abu hayat fıskiyesi gibi o kadem!* Onu gören kim olursa olsun hayranlıktan açılmış ağızları ile öyle baka kalırdı.

Kocası gittikten sonra kadın, uzak mahallelerden birine bir kasap dükkânına gitti. Yarım koyun et istedi. Kasap eti hazırlarken "Aman efendim. Hava ne kadar sıcak. Herhalde hızlı yürümüşüm. Çok terledim" diyerek çarşafın çenesindeki iğneyi açıp elleriyle yellenir gibi yaparken gerdanını kasabın gözleri önünde bütün ihtişamıyla sergiledi. Kasap ağzı bir karış açık, aptallaştı. Öylece bakakaldı. Kadın kırıtarak cilveli, mütebessimane, nazlı bir sesle:

– Kasap efendiciğim, borcumuz ne kadar oldu? Lütfen fiyatını söyler misiniz? deyince kasap:

– Aman efendim. Estağfurullah. Fiyatın ne ehemmiyeti olabilir? Sizin gibi bir sultana feda olsun. Etin ne kıymeti varmış? Yeter ki sizin gönlünüz hoş olsun! dedi. Kadın:

– Aaaa! Nasıl olur efendim? Aşk olsun. Doğrusu ben kimseye borçlu kalmayı sevmem. Madem ki fiyat söylemek istemiyorsunuz, madem ki bana bu kadar iltifat ediyorsunuz, doğrusu sizin gibi yakışıklı bir erkekle ahbap olmak istisnai bir lütuftur. Eğer başka bir işiniz yoksa bu gece saat bire çeyrek kala bize buyurun. Böylece daha yakın bir ahbaplık kurmuş oluruz. Kasap:

– Maal memnuniye hanımefendi. Adresinizi bildirirseniz elbette gelirim, dedi.

Kadıncağız eve dönünce kocası ile birlikte pirzolaları, kavurmaları, kıymaları pişirip günlerdir aç kalan karınlarını ak-

* adım.

şam yemeğinde bir güzel doyurdular. Sonra kocası sokağa çıktı. Saat bire çeyrek kala kasap kapıya geldi. Kadın kasabı kemali neş'e ile karşıladı.

– Buyurun efendim. Buyurun efendim. Sefalar getirdiniz. Hoş geldiniz! diyerek eli kolu dolu gelen kasabın elinden şekerlemeleri, meyveleri aldı, adamı misafir odasına oturttu ve çok şık, tertemiz bir bohça getirdi. Bohçanın içinde erkeklere mahsus bir gecelik entarisi ve dantel bir takke vardı.

– Rica ederim efendim. Rahatsız olmayın. Bütün gün yorulmuşsunuzdur. Kıyafetlerinizi alayım. Şöyle bir rahatlayın, diyerek adamı bir güzel soydu, üzerindeki elbiseleri katlayıp bohçaya koyduktan sonra dışarı götürdü. Demeye kalmadan tam saat bir buçukta, kadının kocası çat çat kapıyı çalmaya başladı. Kadın büyük bir telaş göstererek:

– Eyvah! Eyvahlar olsun! Kocam dört aydır taşradaydı. Şimdi ben ne yapacağım? Aman efendim, lütfen! Hemen sizi saklamam lazım. Allah muhafaza. Kocam sizi görürse maazallah kıymetli canınıza kıyar. Şöyle yüklüğe girin, diyerek kasabı yüklüğün kapısından içeri soktu. Lâkin yüklüğün tahtaları çürük olduğu için kasap içeri girer girmez cumburlop iki kat aşağıya düştü. Kadınla kocası evlerinde keyif içinde rahatça otura dursunlar, biçare kasabın ayağında çorap ve ayakkabısı bile yoktu. Yalın ayak bin bir zahmet, o civara yakın bir ahbabının evine gidip elbise istedi.

– Beni hırsızlar soydu bu hâle getirdi, diyerek dövündü de dövündü.

Gelelim bizim hanıma. Kasabın elbiselerinden külliyetli miktar lira çıktı. Hanım bunlarla kendisine ve kocasına kumaşlar, ayakkabılar alıp kıyafeti adamakıllı düzeltti. Sonra kocasına:

– Efendiciğim bu para azaldı. Nerdeyse suyunu çekecek. Ben bir avanak daha bulmak mecburiyetindeyim, deyince kocası da hemen "Olur olur" dedi. Rahata alıştı ya artık... Kasabın dükkânının karşısında bir sarraf vardı. Kadın iki dirhem bir çekirdek süslenip püslenip sarrafa gitti. Mahsus koynuna sakladığı lirayı çıkartıp bozmak gayesiyle gerdanını bütün güzelliği ile açıp sarrafa gösterdi. Adam bu muhteşem güzelliği görünce aptallaştı, donup kaldı.

– Aman hanımefendi bir liranın bozması mı olur, rica ederim. Siz paranızı saklayın. Ve lütfen şu beşi bir yerdeliği kabul buyurun da altınlar bu muhteşem gerdanda dursunlar, asıl o zaman değer kazansınlar, diye çıkarıp kadına bir beşi bir yerde verdi. Kadın:

– Aaaa! Aman efendim nasıl olur? Ben bunu kabul edemem, deyince sarraf:

– Canım güzel Sultanım, lütfen aramıza teklif, tekellüf koymayınız. Efendiniz size feda olsun. Yeter ki siz de bana biraz olsun iltifat buyurun. Kadın:

– Ay vallahi sizin kadar cömert, zarif bir beyefendi görmedim. Sizinle ahbap olmak benim için büyük bir lütuftur. Eğer arzu ederseniz başka bir işiniz yoksa bu gece saat ikiye çeyrek kala adresime teşrif buyurun, deyip dükkândan ayrıldı.

Sarrafcağız akşamı nasıl edeceğini bilemedi. Kadın beşi bir yerde ile adamın verdiği paraları alıp evine gitti, süslenip püslendi, oturdu. Gece olunca sarraf ellerini kollarını dolduraraktan kadının evine gitti. Kadın onu kapılarda bin işve bin naz gülerekten, neş'e ile karşıladı. Elindeki kolundakileri aldıktan sonra sarrafı misafir odasına oturttu. Akabinde odaya çok şık işlemeli bir bohça getirdi. Bin işve bin naz ile adamı tepeden tırnağa soyup ona gecelik entarisini giydirdi. Elbiselerini katlayıp bohça ile dışarı çıkarttı. Çıkarttı ama tam o sırada kocasıyla planladığı üzere sokak kapısı çat çat çalındı. Kadın:

– Ay! Eyvahlar olsun. Ben şimdi ne yapacağım? Gördünüz mü felaketi? Kocam üç aydır İzmir'deydi. Ben seni şimdi nereye saklayayım? diye çırpınmaya başladı. Haydi, şimdi sen şu yüklüğün içine gir. Sonra ben seni kaçırırım, diye sarrafı yüklüğün içine soktu. Sarraf da tıpkı kasap komşusu gibi iki kat aşağıya, evin arkasındaki sokağın kenarına düştü. Düştü ama adamcağızın kolu kırıldı. Ayağının derileri soyuldu. Kan revan içinde kalıp neye uğradığını şaşırdı. O vaziyette kaçıp evine gitti.

Aradan birkaç gün geçtikten sonra kadın bu sefer mahalledeki bakkala gitti. Bakkaldan pek çok erzak aldı. Erzakları küfelere doldurtarak para verecek gibi göğsünü açınca kadının güzelliği karşısında bakkal apışıp kaldı.

– Aman efendim. Para filan istemem. Sizin gibi güzel bir hanım sultana bunlar nedir ki... Bir hediyem olsun, dedi. Kadın da her zaman yaptığı gibi naz niyaz ve cilve ile bakkalı saat üçte evine davet etti. Evine döner dönmez kocasına olan biteni anlatıp nasıl hareket etmesi gerektiğini tembih etti.

Bakkal da ceplerine para dolduraraktan Cerrahpaşa'da Garne çıkmaz sokağındaki hanımın hanesine tam zamanında gitti. Aynı minval üzere güler yüzle karşılanıp baş odada baş köşeye bohça içine konmuş geceliğini giyip dinlenmeye hazırlanırken kadının kapı çalınması üzerine "Eyvah ne talihsizlik! Kocam geldi, çabuk yüklüğe saklanın efendim" demesiyle bu da öbürleri gibi yüklüğün boşluğundan sokağa düştü. Bu adamın da ayağı kırıldı. Bin bir zorlukla evine dönebildi.

Böylece aynı sokakta esnaflık yapan bakkal, kasap ve sarraf; gönüllerinden ne yapalım da bu kadından hıncımızı çıkaralım diye düşünüyorlardı. Bir gün kasap sarrafa:

– Birader, birkaç gündür sende çok tuhaf bir hâl görüyorum. Derin düşünceler içindesin. Başına kötü bir şey mi geldi? diye sorarken o sırada bakkal da lafın üstüne geldi. Ve birbirlerine aynı soruyu sordular. Neticede durumu anladılar. Kafa kafaya verip kadını dava etmeye karar verdiler. Şu şekilde dolandırıldık diye hep beraber durumu kadı efefendiye istida ettiler. Suç duyurularını yapıp duruşma günü gelince kadı efendinin huzuruna çıktılar. Kadın da beraber... Kadı efendi kadını sorgulamaya başlayınca ve davacıların iddialarını kadına bildirince kadın peçesini kaldırıp yüzünü ve gerdanını açarak:

– Kadı efendi, bak yüzüme! Öyle kötü bir kadına benziyor muyum ben hiç? Böyle akıllı uslu, yaşını başını almış efendileri dolandırabilir miyim? Bunlara yüz vermediğim için bana iftira atıyorlar.

Kadı efendi afitap* gibi pür nur güzellikteki hanıma meftun olup canı yürekten ona inandı. Ve öfkeyle:

– Sizi gidi utanmazlar sizi! Bu kadına iftira etmeye utanmıyor musunuz? Defolun karşımdan! deyip hepsini kovdu. Bunlar da boynu bükük, zavallı bir hâlde mahkemeden çıkıp giderlerken "İnşallah bu kadın kadı efendiye de bir oyun oynar" diye dua ediyorlardı. Velhasıl hakikaten kadın kadı efendiyi de kandıraraktan onu saat dörtte evine çağırdı. Kadı efendi son derece heyecanlı, yaşından başından utanmadan en iyi elbiselerini giyip süslendi, cebine altın paraları doldurdu. Saat dördü iple çektikten sonra hanımın evindeki baş odada ağırlandı. Bermutad, işlemeli bohçadan aldığı gecelik entarisini giyip köşeye oturdu. Elindeki bir fincan kahveden keyifle bir hüp alırken hanım da orta yere bir yatak yapıyordu. Tam o sırada güm güm kapı çalınmaya başladı. Kadın "Aman Allah'ım kocam

* güneş.

geldi üç senedir ortalarda yoktu. Ben şimdi ne yapacağım?" diye sızlanırken kadı efendi de korkusundan tiril tiril titriyordu. Kadın, kadı efendiye çabucak "Şu yatağa gir yat, yorganı da başına ört" dedi. Tam bu sırada kocası da odaya girdi.

– Burada yatan da kim? Kadın konuşsana, sana söylüyorum! Kim burada yatan?

Kadın:

– Kim olacak, sen gittiğin zaman doğurduğum tosuncuk.* Büyüdü büyüdü ama daha konuşmuyor.

Adam:

– Dur şunun yüzünü bir göreyim.

Kadın:

Olmaz, yarın sabah görürsün.

Adam:

– Evlâdım değil mi? Şimdi göreceğim.

Bir müddet bu yalancı mücadele devam etti. En sonunda adam yorganı açtı. Kadı efendinin de yüreği ağzına geldi. Kadının kocası yorganı açıp ne görsün, saçlı sakallı bir adam.

– Aaaa! Şuna bakın babasının sakalı yok, oğlunun var. Getir şuradan usturayı sakalını keseceğim.

Kadın:

– Yapma etme bey, dediyse de adam kadı efendinin saçını sakalını kesti.

Kadı efendi, korkudan ağzını bile açamıyordu. Nasıl açsın, korkudan çakşırını** bile kirletmişti. Adam ondan sonra kadı efendiyi boş bir sandığın içine yatırıp:

– Ben böyle dilsiz çocuk istemem hanım, dedi. Sandığın kapağını kitleyip ertesi gün bir hamalın sırtına yükledikten

---

* Normalden daha boylu ve daha ağır olarak doğan çocuklara tosuncuk denir.
** çakşır: don.

sonra Fatih'deki bitpazarına gönderdi. Kadı efendi bitpazarına hamalın sırtında giderken sandığın içinden seslendi.

– Sana çok para veririm iki gözüm. Mahkemeye git, kâtip Ahmet Efendi'ye kadı efendinin emri var de. Kaç kuruşa olursa olsun sandığı bitpazarından satın alıp evine götürsün.

Hamal sandığı bitpazarına götürüp bıraktıktan sonra kâtip Ahmet Efendi'ye tembih edildiği gibi söyledi. Kâtip Ahmet Efendi de gelip sandığı bitpazarından aldı ve kadı efendinin evine götürdü. O zamanın devrinde bıyıksız sakalsız Müslüman olmazdı. Ancak Hıristiyan vatandaşlar saçsız sakalsız gezerdi. Hele bir kadı efendinin bıyıksız sakalsız, matruş bir çehre ile halkın arasına çıkması asla mümkün olamazdı. O yüzden kadı efendi saç sakalı uzayıncaya kadar mecburen eve kapandı. Kadı efendinin mahkemeye gitmediğini kasap, sarraf ve bakkal haber alınca doğruca adamcağızın evine gittiler. Kapıyı uşak açtı.

– Kadı efendiyi görmeye geldik, dediler.

Uşak:

– Kadı efendi çok ağır hastadır. Misafir kabul etmiyor.

– Git söyle, "kasap, sarraf, bakkal efendiler geldi" diye. Kendisinin hastalığını en iyi biz biliriz. Ve onu görmeden gitmeyeceğiz.

Bunun üzerine çarnaçar* kadı efendi "buyursunlar" dedi. Misafirler bir de baktılar ki ne görsünler? Kadı efendinin çenesinde bir tülbent bağlı. Yüzü de mahcubiyetinden kıpkırmızı olmuş.

Bu kazazedeler birlikte intikam alma çarelerini düşünürlerken sonunda kadınla kocasını öldürmeye karar verdiler. Cinayeti de gece yarısı işleyeceklerdi. O kadar hırslanmışlardı çünkü. Bu

* çaresiz.

esnada kadınla kocası da bunların intikam almak için geleceklerini kuvvetle tahmin ettiklerinden evin her yerini kapatmışlardı. Yalnız sarnıca giden büyük künkü* kapatmayı unutmuşlardı. Gece yarısı olunca berikiler de eve girecek bir delik bulmak için dört dönmeye başladılar. Nihayet künkü keşfedip en zayıfları olan sarrafı oradan içeri soktular. Adam girecek de bunlara sokak kapısını açacak. Derken herif başını uzatır uzatmaz kadının kocası, elindeki usturayla sarrafın burnuna vurdu. Adam "Vay burnum!" diye kafasını geri çekince ötekiler sordular:

– Ne oldu yahu?

– Bir şey yok. İçerde zerde pişiyor da kokusundan burnum kırıldı, dedi.

Kasap:

– Dur ben yan tarafından gireyim de size kapıyı açayım.

Kasap yan tarafından girerken kadının kocası usturayı şöyle bir sallamasıyla herifin kulağını düşürdü.

Kasap "Vay kulağım!" diye geri çekilince:

– Ne oldun yahu? diye sordular.

– Hiçbir şey, içeride davul zurna çalıyorlar kulağımın zarı patladı.

Bakkal:

– Durun ben ellerimi uzatarak içeri gireyim de size kapıyı açayım, dedi.

Bakkal ellerini uzatınca kadının kocası usturayla bir vurdu, adamın parmağını kesti.

– Uf parmağım!

– Ne oldu yahu?

– Bir şey yok canım, çorba pişirmişler de elim çorbaya girip yandı.

* künk: genelde şehir kanalizasyonlarında kullanılan çok iri beton boru.

Bunun üzerine kadı efendi dedi ki;

– Durun ben önce ayaklarımı sokayım da gidip size kapıyı açayım. Böylece kadı efendi bacaklarını içeri sokar sokmaz kadının kocası usturayı bir salladı...

Kadı efendi:

– Amanım yandım! Yandım dostlar, diye haykırdı.

Ötekiler:

– Ne oldun yahu? diye sorunca:

– Ne olacak zerdeler, davullar, zurnalar, çorbalar meğer benim sünnet düğünümmüş.

Zavallı kasap, bakkal, sarraf ve kadı efendi yaralı bereli önce hastaneye sonra evlerine gittiler ve kadınla kocasının oyunlarıyla başa çıkamayacaklarını anlayarak bir daha elin kadınına bakmadılar. Yanlış ilişki kurmaya kalkışmadılar.

Hacı Kem Surat Efendi

Vaktiyle İstanbul'un Fatih semtinde hatırı sayılır servet sahibi tüccarlar otururdu. Bunların arasında İstanbul'un sayılı zenginlerinden Kamber isminde bir şahıs vardı. Bu adam aksi mi aksi, celalli mi celalli, merhametsiz bir efendiydi. O yüzden adamın asıl adı unutulmuş, çarşıda pazarda her yerde adı Hacı Kem Surat Efendi diye anılır olmuştu. Bu adamın ağaçlarla müzeyyen çok büyük bir bahçe içinde, kırk odalı bir konağı vardı. Bahçenin etrafı kale duvarı surları gibi çok yüksek duvarlarla çevrilmişti. Kendisi ilk evliliğini yaptıktan sonra eşinin çok basit bir iki kusurunu görünce onu ölesiye dövmüş ve kadıncağızın bir gözünü kör etmişti. Daha sonra ikinci hanımı ile tezevvüç edince bu zavallının başına da aynı akıbet gelmiş, sıkı bir dayak attıktan sonra hırsını alamayan herif-i naşerif* kadıncağızın bir kulağını kesmişti. Üçüncü ve dördüncü karıları da bu akıbetten pay alarak sakatlanmışlardı. Taki-

* herif-i naşerif: şerefsiz adam.

113

ben konağı cariyelerle dolduran Hacı Kem Surat Efendi, kırk cariyenin de kalıcı olarak bir yerlerini sakatlamıştı.

Günlerden bir gün, bu herifin nasılsa iyi bir gününe rastlayan hanımlar, izin alarak Şengül Hamamı'na gittiler. O devrin adabına uyarak peştamalları, lavanta kokulu havluları, ipek iç çamaşırlarıyla beraber su börekleri, yaprak dolmaları, maydanozlu köfteler, envai çeşit meyveler ve tatlılarını da yanlarına alarak hamamı doldurdular. Felekten bir gün çalıp eğlenmek için şarkı söyleyip kahkahalar atarak yıkanırken bir köşede onları seyreden İstanbul'un namlı güzellerinden Haşim Paşa'nın dul hanımı da hayretle bu kadıncağızları inceliyordu. En sonunda dayanamayıp birisini yanına çağırdı.

– Deminden beri sizin hâlinizi seyrediyorum. Birbirinden güzel ve dilber bu genç hanımların hepsinin bir azaları sakat. Bu nasıl mümkün oluyor, diye sorunca hanım cevap verdi.

– Ah Sultanım! Biz kadersiz, bedbaht kırk hanımız. Bizim efendimiz İstanbul'un meşhur tacirlerinden çok zengin Hacı Kem Surat Efendi'dir. Daha gerdek gecesinde sudan bir bahane yaratarak bizleri dövmüş ve bir azamızı sakatlamıştır. Bunun elinden çektiklerimizi size anlatsak efsane olur. Bunun üzerine Haşim Paşa'nın dul eşi Dilresan Sultan;

– Yaa! Demek böyle. O zaman ben bu adama öyle bir oyun oynayayım ki nam olsun, gelecek zamanlara ibret olsun. Şimdi benim söyleyeceklerime kulak verin. Eve dönünce kocanız size "Ee nasıl? Eğlendiniz mi, gününüz nasıl geçti bakalım?" diye soru sorduğu zaman siz, "Hamamda bir dilber gördük, aman Allah'ım, ay mı güzel gün mü güzel" deyin. Biriniz gözlerimin güzelliğini, biriniz endamımın, biriniz kollarımın, diğeriniz ellerimin, öbürünüz göbeğimin bir başkası bacaklarımın güzelliğini abartarak heyecanla anlatsın. Ben Laleli yokuşunda Haşim Paşa konağında oturuyorum. Adresimi söyleyerek benimle ahbaplık yapmak için izin istediğinizi beyan edin. Ondan sonra olacakları ben bilirim demiş.

Hanımlar Fatih'teki evlerine dönünce işten gelen Hacı Kem Surat Efendi'yi neşeyle koltukladılar. Birisi sokak elbiselerini soydu. Bir diğeri gecelik entarisini giydirdi. Bir diğeri köpüklü kahvesini getirdi. Bir diğeri leğen içinde ılık su ve ibrikle geri dönüp herifin ayaklarını yıkadı. Başka biri de havluyu tuttu. Hacı Kem Surat Efendi;

– Ee hanımlar, gününüz nasıl geçti bakalım? Eğlendiniz mi bari? diye sorunca hanımlar heyecanla:

– Allah sizden razı olsun efendi hazretleri. Çok eğlendik, der demez neredeyse bir ağızdan bağırış çağırış Haşim Paşa'nın dul eşi Dilresan Sultan'a nasıl rastladıklarını, kadının güzelliğini, şarkı söylerken bülbül gibi sesiyle kendilerini nasıl mest ettiğini bir bir anlattılar. Hanımla ahbaplık etmek için izin istediler. Efendi "Nerede oturuyormuş bu hanım?" diye sorunca berikiler hemen Laleli'de Haşim Paşa konağı diye adresi de verdiler. Hacı Kem Surat Efendi o gece heyecandan uyuyamadı. Sabahı sabah etti. Sabahleyin en şık elbiselerini giyindi. Berbere gidip saçını sakalını mükemmel bir şekilde bakımdan geçirdi. Ve Haşim Paşa konağının yolunu tuttu. Hizmetçi kadın efendiyi büyük bir nezaketle içeri aldı, salona götürdü. "Biraz bekleyin, hanımefendi şimdi teşrif ederler" dedi. Ve ortadan kayboldu. Hacı Kem Surat Efendi bir hayli bekledi. Nihayet Dilresan Sultan yürek hoplatan cazibesiyle misafirini karşıladı. Efendinin hanımlarıyla nasıl tanıştığını ve onları ne kadar çok sevdiğini ve benimsediğini anlattı. Hacı

Kem Surat Efendi hanımın samimiyetinden istifade ederek hemen onun dest-i izdivacına* talip oldu. Hanımefendi bu teklifi pek o kadar nazlanmadan usulünce kabul etti. Hacı Kem Surat Efendi'nin konağında diğer hanımlarla beraber yaşayacağını ifade etti. Düğün oldukça sade bir şekilde icra edildi. Ve hanım emektar bir iki yardımcısını yanına alarak Hacı Kem Surat Efendi'nin evine yerleşti.

Hacı Kem Surat Efendi'nin artık çok önemli bir derdi vardı. Her zaman olduğu gibi hanımın bir kusurunu yakalayıp onun vücudunu da diğerleri gibi sakatlamak istiyordu. Nikâhın ertesi günü işine gitmek bahanesiyle evden ayrıldıktan bir saat sonra konağın kapısı çalındı. Kırk badya pamuk gönderilmişti. Hamal başı:

– Efendim Hacı Kem Surat Efendi'nin selamı var, bu badyalardaki pamuk eğrilip iplik haline gelecek, dokunup bez yapılacak ve bu bezler Hacı Kem Surat Efendi'nin iç çamaşırlarını yenilemek için gömlek ve kilot hâline getirilecekmiş. Akşam Hacı Kem Surat Efendi bu iç çamaşırlarını görecek ve banyodan sonra giyinecekmiş. Tembihi var. Haydi bize müsaade, biz gidelim, der demez Sultan Hanım gayet yüksek sesle kumalarını yanına çağırdı.

– Ayol kardeşler sevgili kocamız eğirelim dokuyalım, kesip biçip iç çamaşırları ve entariler hâlinde efendiye hazırlayalım diye bu pamuk balyalarını göndermiş. Ama bilirsiniz bu satıcılar çok uyanık olur. Tozlu, pis pamukları sevgili efendimizi aldatarak sokuşturmuş olabilirler. Haydi bakalım hepiniz bahçeden bir dal kesin, balyaları sopalayalım. Bakalım tozlu mu değil mi, dedi. Der demez hanımlar birer sopa kesip bal-

* nikâh vasıtasıyla elinize talibim yani evlenme teklifinin nazikçe ifadesi.

yaları bütün hınçlarıyla dövmeye başladılar. Kurnaz Dilresan balyaların birinin içine Hacı Kem Surat Efendi'nin saklandığını ve bakalım hanımlar ne yapacak diye onları gizlice gözetlemek için bu tedbiri aldığını anlamıştı. Kaşıyla gözüyle Hacı Kem Surat Efendi'nin içine saklandığı çuvalı hanımlara işaret edip ille de o çuvalın tozunu almaya başladılar. Zavallı Hacı Kem Surat Efendi kırk kadının rastgele evire çevire sopalarla dövdüğü çuvalın içinde koma hâline gelinceye kadar dayak yedi. Nihayet Dilresan hamallara:

– Bu balyalar çok tozlu imiş, bunlar işe yaramaz. Ben kocamın paralarını çarçur ettirmem, diye bağırdı. Bunları geri götürün, dedi. Hemen kendisi de çarşafına bürünerek hamalların arkasına takıldı. Kendini göstermeden Hacı Kem Surat Efendi'nin içinde bulunduğu, kanlar akıtan çuvalı taşıyan hamalın arkasına takıldı. Zavallı hamal "Yahu ne ağır çuvalmış" diye söylenip dururken çuvalın içinden Hacı Kem Surat Efendi'nin inlemelerini, ahları oflarını duydu. Korkudan "Anaaaa! Bunun içinde in mi var cin mi var" diye sırtından çuvalı yere atınca Hacı Kem Surat Efendi ağlayarak:

– Efendi Müslüman'san Allah rızası için beni Samatya'daki Etyemez Dergâhı'nın yanındaki büyük evin kapısına götür. Oğlunuzu getirdim, diye kapıyı çal. Ev sahibi Hatice Hanım sana beş altın lira verecek. Ne olur bana güven ve beni oraya götür, deyip bayılınca altın lafını duyan hamal gayrete gelip tabana kuvvet çuvalın içindeki Hacı Kem Surat Efendi'yi bu adrese götürdü.

Hakikaten kapıyı açan Hacı Kem Surat Efendi'nin yaşlı validesi hamala bu parayı verdi. "Ah evladım" diyerek ağır yaralı oğlunu çuvaldan çıkarıp uşakların yardımıyla gençliğinde yattığı odaya taşıttı. Elinden geldiği kadar yaralarını temizle-meye başladı. Fakat oğlu o kadar yüksek sesle çığlık atıyordu ki bu işte kadıncağız pek de başarılı olamadı.

Dilresan Sultan, Hacı Kem Surat Efendi'nin çuvalının hangi eve götürüldüğünü tespit etmişti. Süratle kumalarının yanına döndü. Şen şakrak kahkahalar atarak güzel bir akşam yemeği yediler. Dilresan:

– Siz daha bunu bir şey sanmayın! Ben bu herif-i naşerifin başına ne çoraplar öreceğim göreceksiniz, diyordu.

Ertesi gün çarşafına bürünen Dilresan Sultan doğru Hatice Hanımefendi'nin Samatya'daki büyük evine gidip kapıyı çaldı. Kayınvalidesi kapıyı açınca:

– Ah efendim, daha oğlunuzla yeni evliyiz. Akşam eve gelmedi. Ben çok üzüldüm, telaş içindeyim. Acaba sizin bir haberiniz var mı diye sormaya geldim, deyince Hatice Hanım:

– Ah benim güzel dilber gelinim. Ah benim elmasım. Sorma başımıza gelenleri. Dün hamalın biri çuval içinde yaralı oğlumu getirip bıraktı. Nerede dayak yemiş anlamadım. Odasında ağır yaralı olarak koma hâlinde yatıyor. Telaşla kocasının odasına giren Dilresan Sultan:

– Amanın dostlar bu ne felaket. Ah benim sevgili zevcim, başına bu hâller nereden geldi? Biz şimdi ne yapacağız? Allah seni başımızdan eksik etmesin. Hiç merak etme ben sana güller gibi bakarım, diyerek yalancı gözyaşları akıttı. Sonra da çarşafını atıp kollarını sıvadı. Hemen hizmetçilere ılık su hazırlattı. Merhemler ve lapalar getirtti. Ve adamın yaralarını otalamaya* başladı. Kem Surat Efendi böyle koma hâlinde yatarken adamcağızın makatına, def-i hacetini göremeyeceği şe-

* otalama: tedavi etmek.

kilde bantlar yapıştırdı. Zaman geçtikçe adamın yaraları biraz iyileşse de def-i hacetini göremediği için rahatsızlığı gittikçe arttı ve karnı şişmeye başladı. Bu durum belirgin bir hâl alınca Dilresan Sultan tatlı diliyle ve sevgi dolu yumuşak ifadeleriyle önce Hacı Kem Surat Efendi'yi sonra da kayınvalidesini ikna etmeyi başardı. Şöyle diyordu:

– Ah benim müstesna, harika zevcim. Sen dünyada yaratılmış en değerli varlıksın. Sen erkeklerin hası ve en mübareğisin. Adem Sefiyullahtan beri Allah'ın mucizesiyle ilk defa hamile kalan erkek sensin. Bu haber padişahın bile tahtını sarsar. Maazallah bütün insanlık âlemi yaratılışta böyle bir mucize görmemiştir, diye durmadan Hacı Kem Surat Efendi'yi olmadık nüvazişkâr* sözler ve davranışlarla pohpohluyordu. Hacı Kem Surat Efendi de bütün ağrılarına, sıkıntısına ve sancılarına rağmen bu şahane kadının iltifatlarıyla kendinden geçip kibirleniyor, azametli bir tavır sergiliyordu. Sultan Hanım hamile bir çingene karısıyla anlaşmış, çocuk doğar doğmaz bebeği para karşılığı alacağını söylemişti. Nihayet çingene karısı ve ebe hanımı kimse görmeden Hacı Kem Surat Efendi'nin odasına yerleştirdi. Efendi neredeyse ölecek kadar sıkıntıya girdiğinden, azabı yüzünden artık şuurunu kaybetme derecesine gelmişti. Yüksek sesle inliyor, neredeyse bağırıyordu. Perde arkasındaki çingene karısı çocuğu doğurur doğurmaz Hacı Kem Surat Efendi'yi zor bela bir leğenin başına oturtan sultan, kocasının dışkı çıkarmasına mani olan yakıları ve bantları şiddetle çekip çıkarttı. Hacı Kem Surat Efendi de leğeni dolduracak kadar hacetini yapıp rahatladı ve adamcağız daha neye uğradığını anlamadan leğen yok edildi. Efendi'yi temizleyip sırtı-

* nüvazişkâr: okşayıcı.

na entarisini giydiren karısı, başına kırmızı bir kurdele taktı. Yakasına da yine kırmızı kurdele ile süslenmiş bir altın koydu.

– Maşallah! Tü tü tü! Allah nazardan esirgesin! Yaradılmış erkeklerin en cinsinin hanımı olmak, meğer bana nasipmiş! Ne sevap işledim de bu güzel günleri gördüm, derken yeni doğan bebeği kıçına bir çimdik atıp zırlatarak kocasının kucağına koydu. Çingene karısı çoktan sıvışıp gitmişti. Yeni gelin kayınvalidesini pohpohlayarak oğlunun odasına çağırdı. Kucağında bebekle şaşkın şaşkın sırıtan Hacı Kem Surat Efendi, böbürlenerek anasına yavruyu gösterdi. Olayı ona göre tezgâhlamış olan Dilresan Sultan kumalarıyla birlik olup İstanbul'un önde gelen paşalarına, vezir vüzeraya çoktan davetiye çıkarmıştı bile. Bu hayret verici olay, padişah hazretlerinin de kulağına gitmişti. Kendisi de usulünce lalası vasıtasıyla, tenezzül ederse bizzat bu acayip olaya şahitlik etmek üzere çağrılmıştı.

Hacı Kem Surat Efendi ne olduğunu anlamadan idrak edemeden bebeğiyle birlikte koltuklanarak evin büyük salonuna davet edildi. Hayretler içinde bakakalan padişahın, vezir vüzeranın ve paşa hazretlerinin huzuruna, yeni doğmuş bebekle beraber girdi. Ve en büyük marifeti yapmış, cins erkek edasıyla padişaha bile tepeden bakarak kendine ayrılan süslü püslü yere oturdu. Padişah

– Eeee Kamber Efendi bu ne hal? Hiç erkek adam velet doğurur mu? Bunu nasıl doğurdun? deyince Kamber yani Hacı Kem Surat Efendi:

– Ben cins erkeğim. Doğurdum. Siz bunu en iyisi karıma sorun. O daha iyi bilir. O anlatsın, diye cevap verdi. Dilresan Sultan, Kem Surat Efendi'nin ortada hizmet için dolanıp duran kiminin bir gözü kör, kiminin burnu kesik, kiminin kulağı kesik, kimini kolu çolak, kiminin ağayı sakat kumalarını göstererek:

– Padişahım, bu gördüğünüz hanımları hamamda tanıdım. Bu güzel kadınların Kamber adlı bu sefil kişinin işkence dolu sapıklığı yüzünden bu hâle getirildiğini görünce... diye başlayarak bütün hikâyeyi padişaha arz etti. Bebeğin de bir çingene karısı tarafından doğurulduğunu anlattı. Bunun üzerine bütün İstanbul âlemine rezil olan Hacı Kem Surat Efendi'yi karıları boşadılar. Ve padişahın emriyle Hacı Kem Surat'ın bütün serveti hanımlara tazminat olarak verildi. Evi de hanımlara tahsis edildi. Kötülükleriyle âleme rezil olan bu herif, ölünceye kadar insan içine çıkamayacak durumda anasının evinde sığıntı olarak kaldı. Sultan Hanım da Haşim Paşa konağına geri döndü. Onlar ermiş muradına.

Kambur

Bir zamanlar dünyalar güzeli bir kız vardı. Dil ile onun dilberliğinin vasfı mümkün değil tarif edilemezdi, o kadar güzeldi. Fakat evlenme çağı geldiği zaman zavallı kızcağızı vere vere bir kambura verdiler. Verdiler ama kızcağız kocasını katiyen sevmiyordu. Evliliklerinin ikinci yılı dolduğu sırada kız o kadar bunaldı ki kendi kendine kavl etti.* "Aman" dedi. "Ne olursa olsun. Kapıdan ilk geçen erkeği içeri alacağım." Bu yemini ettikten sonra bir gün uykudan uyanınca giyinip süslendi. Kapıdan ilk geleni alacak ya... Geçe geçe kambur bir erkek geçmez mi? Onu aldı içeri. Aldı ama kendi kendine "Aaaa! Bu olmadı" dedi. "Yeminimi tuttum. Lâkin şimdi başka birini alayım." dedi. Bu sefer kapıdan yine kambur bir adam geçmez mi? Ne yapsın onu da eve aldı. Derken iki kambur evdeyken kocası da vazifesinden dönüp geldi. Kocasının geldiğini gören hanım, kamburları nereye saklayacağını şaşırdı. "Ay buraya

* kavl etmek: and etmek.

123

mı koysam, şuraya mı çıkarsam" diye dolaşırken cingöz kocası, bu ufak pıtırtılardan huylandı. Hiç durmadan kapıyı çalmaya başladı. Kadın nihayet taşlıktaki hambara* adamları sakladı. Ve nihayet kambur kocasına kapıyı açtı. Kambur koca:

– Niçin bu kadar geç açtın kapıyı?

– Tuvaletteydim. Ancak yetiştim, deyince kambur koca hiç sesini çıkarmadı. Akşam yemeğinden sonra yattılar. Yattılar ama iki kambur da hambarda...

Aşağı yukarı bir saat sonra kambur koca kalktı.

– Aman bu tahtakurularından uyuyamadım. Benim döşeğimi aşağıdaki hambarın üzerine yayın da orada yatayım, dedi. Ve hambarın üzerine yattı. Biraz yattıktan sonra dünya güzeli karısına seslendi.

– Hanımcığım bir kazan su kaynat. Burada da tahtakuruları var. Şu hambarı haşlayayım.

Kadın naçar** bir kazan su kaynattı. Hambara döktü. İçindeki kamburlar da haşlanarak öldüler. Ertesi gün kambur koca vazifesine gidince kadıncağız çöpçüyü çağırdı.

– Çöpçü efendi. Al sana on lira, buraya bir adam düşüp ölmüş. Götür bunu denize at. At da başıma dert olmasın, dedi.

Çöpçü:

– On lira için değil, senin güzel hatırın için atarım. Ama geceleyin, dedi.

O akşam üzeri kambur koca hanımına fırsat vermek için "Annemi yoklamaya ve bu gece ona misafir olmaya gidiyorum, merak etme" diyerek çıkıp gitti.

Gece olunca çöpçü geldi, kamburun birini çuvala koydu. Ihlıya pıhlıya adamı götürüp denize attı. Hanım

---

* hambara: büyük sandık.
** naçar: çaresiz.

ikinci kamburu da kapısının arkasına dayamıştı. Biraz sonra çöpçü gelip:

— Hanım kamburu attım. Paraları ver bakalım, dedi. Hanım:

— Aaa! Sen ne yalancı adammışsın. Atmamışsın. Bak işte kambur burada, dedi. Çöpçü şaşırdı.

— Hay Allah müstehakını versin, deyip onu da çuvala koyup sırtlandı. Bu sefer denize atmadan önce ayağına koca bir taş bağladı. Bu iş bitince kan ter içinde kaldı. Zira bu kambur daha şişmandı. Dönüp hanımın yanına gelince bir de ne görsün? Eve dönen kambur koca kapıyı çalıp durmuyor mu?

— Vay kereta vay. Vay köftehor vay. Seni iki seferdir denize atıyorum. Sen yine de mi çıkıp geldin, deyip yakaladığı koca bir taş ile adamın kafasına vurup adamı öldürdü. Götürüp onu da denize attı. Tekrar dönüp hanımın kapısını çaldı. Hak ettiği ücreti aldı. Hanım da böylece kambur kocasından kalan serveti saman ile bahtiyar bir hayat yaşadı. Onlar ermiş murada...

Demir Ayak Hırsızı

Evvel zaman içinde Ayşe Kadın isminde dul bir hatunun çok yakışıklı bir oğlu vardı. Çocuğun adı Yusuf'tu. Yusuf ne kadar güzelse o kadar da tembeldi. Çok fakir olmalarına rağmen, bir an olsun çalışmaktan haz etmezdi. Anası onu okutmak istedi, okumadı. Kasabın yanına çırak verdi, durmadı. Kunduracının yanına yamak verdi, kaçtı. Doğramacının yanına verdi, eve döndü. En sonunda kadının canına tak dedi. Tahtaya, çamaşıra gidip koca delikanlı olan oğlunu beslemekten bıktı, usandı. Çekti Yusuf'u bir kenara:

– Bak oğlum, dedi. Şimdi seni kuyumcunun yanına çırak olarak koyacağım. Yine çalışmazsan vallahi billahi seni bu evden içeri sokmam. Bu eşikten adımını attırmam. Aaa! Artık canıma doydum. Sözüme mim koy! Bu son olsun anladın mı?

Yusuf "Anladım" dedi. Ama işi ciddi tutmadı. İlk fırsatta kuyumcunun yanından ayrılıp annesinden evvel eve kapağı attı. Annesi gelip oğlanı kapıda bekler görünce çok kızdı. Bu sefer dediği dedikti. Çocuk ne kadar yalvardı ne kadar yakardı ise yine de annesini kandıramadı. "Karnım aç" dedi, Ayşe Kadın aldırmadı. "Yatacak yerim yok" dedi, Ayşe Kadın oralı olmadı. "Git ne hâlin varsa gör" diye cevap verdi de başka bir şey söylemedi. Oğlancık akşam karanlığı basıncaya kadar sızlandı ama fayda vermedi. Ne yapsın, o da ağlaya ağlaya kapının önünden ayrıldı. Yürüye yürüye Unkapanı Köprüsü'ne geldi. Etrafta in yok, cin yok. Bereket yaz günü. Bir kenarcığa çöktü, hüngür hüngür ağlamaya başladı. Gözyaşları inci gibi güzel yanaklarından aşağıya yuvarlanıyor, kırmızı dudakları ıstırapla bükülüyordu. Rüzgâr, altın saçlarını perperişan etmişti.

O sırada maruf paşalardan birinin dünya güzeli kızı, dadısıyla birlikte Kâğıthane'deki mesireden dönüyordu. Arabası köprüden geçerken kız Yusuf'u gördü. Oğlanın güzelliğine meftun oldu. Arabayı durdurup delikanlıyı yanına çağırdı.

– Niye ağlıyorsun? diye sordu.

Yusuf:

– Anam beni para kazanamadığım için sokağa attı. Ne kalacak yerim, ne yiyecek bir lokma ekmeğim, ne kimim, ne kimsem var. Ona ağlıyorum, diye cevap verdi.

– Senin adın ne?

– Yusuf.

– İyi, dedi. Boynundaki gerdanlığı, kollarındaki bilezikleri, kulaklarındaki küpeleri çıkarıp para çantasının içine koydu. Sonra bütün bunları Yusuf'a verdi. Al bunları sermaye yap. İki misli para kazandığın vakit, Bâbıâli'deki Haldun Paşa'ya git. Kendisi ikinci vezirdir. Allah'ın emri ile beni ondan iste, dedi.

Yusuf can evinden yıldırım aşkıyla vurulduğu kıza hayır dualar okuyarak "Pekâlâ" dedi. Kız da çekti gitti.

Oğlan sevinçten deli gibi oldu. Mahmutpaşa'ya gidip orada kendine bir oda kiraladı. Ertesi gün elmasları, pırlantaları, yakutları Kapalıçarşı'daki kuyumculara bir bir sattı. Eline hayli para geçmişti. Bununla kendine buz gibi elbiseler satın aldı. O güzellikle, o şıklıkla şehzadelere benzedi. Etrafta böyle dolaşırken, çok zengin bir tüccarla tanışıp kısa zamanda onunla ahbap, sonra da nihayet ortak oldu. Mısır'a gidip mal alıyor, sonra malları İstanbul'a getirip satıyordu. Sattıkları arasında bulunmaz Hint kumaşları, nadide baharatlar ve daha neler neler vardı. İki üç seneye kalmadan güzel Yusuf son derece zengin oldu. Değil kızın verdiği şeylerin iki misli, belki bin mislini kazanmıştı. Artık vaktin geldiği kanaatine vararak kalktı, Babıâli'ye gitti. Yanına çok kıymetli mücevherler almıştı. Kızı babasından isteyecek, bunları ona iade edecekti. Tam vezir Haldun Paşa'nın konağına geldiği zaman bir de ne görsün? Bir cenaze kalkıyor. Hemen birine ölenin kim olduğunu sordu. Adam da "Paşanın kızı ölmüş" diye cevap verdi. Bunun üzerine güzel Yusuf öyle bir ağlama, öyle bir feryat figan kopardı ki bütün cemaat şaştı. Kendini yerden yere vuruyor. "Ahh! Hakkımı helal ettiremedim" diyerek çırpınıyordu.

Yürüye yürüye Edirnekapı'ya vasıl oldular. Dualar, Fatiha'lar arasında tabut kabrine kondu. Yusuf kabre bir işaret koyduktan sonra, akşam vakti cemaat dağılır dağılmaz mezarlığa döndü. Cesedi çıkarıp bir çuvala koydu. Evine getirdi. Üzerine beyaz bir elbise giydirdi. Mücevherler taktı. Dizlerine kapanarak "Hakkını helal et! Hakkını helal et! diye söylenmeye başladı. Nihayet baktı ki zihnine fenalık geliyor, neredeyse delirecek, evden fırlayıp kahveye gitti.

O sırada İstanbul'da herkese illallah dedirten bir hırsız vardı. Damdan dama lastik top gibi atlar, evleri soyup soğana çevirir, dünyada yakalanmazdı. İsmini Demir Ayak hırsızı koymuşlardı. İşte Demir Ayak hırsızı damdan dama gezerken, Yusuf'un evinde ışık yandığını gördü. Her zaman evin karanlık olduğunu bilen hırsız, merak edip içeri girdi. Bir de ne görsün? Dünyalar güzeli bir kız, mücevherler içinde pırıl pırıl parlıyor. Hırsız hemen mücevherleri bir torbanın içine doldurdu. Kızın cesedini bıçakla kıtır kıtır kesip üçe böldükten sonra kaçıp gitti. Yusuf eve dönünce hırsızın geldiğini anladı. Fakat aldırış bile etmedi. Cesedi yine çuvala koydu, sırtlanıp mezara götürmek istedi. Kale kapısından çıkacağı sırada zaptiyeler bundan şüphelendiler. Çuvalı açıp içene baktılar.

– Vay hain herif! Bu güzel kızı öldürmeye nasıl kıydın? deyip Yusuf'u tutukladılar. Zavallı geceyi hapiste geçirdi. Ertesi gün müstentikin* huzuruna çıkınca başından geçenleri bir bir anlattı. Cesedi Demir Ayak hırsızının kestiğini söyledi. Müstentik:

– Kereta! dedi. Şimdi diriler bitti de ölüler mi kaldı? Ben senin bu suçu o hırsızın üzerine atmadığını ne bileyim?

– Efendim, paşa hazretlerini çağırıp cesedi gösterin. O ölüydü, ben öldürmedim. Cesedi parçalayan da Demir Ayak hırsızıdır. İnanmazsanız kendisine sorun.

– Pekâlâ getir o hırsızı buraya da sorguya çekelim.

– Aman efendim, ben onu nasıl getirebilirim? Kırk senedir zaptiyeler onun peşinde oldukları hâlde yakalayamadılar. Benim dememle buraya gelir mi?

– Madem gelmez, o hâlde cesedi sen paraladın. İçeride yat da aklın başına gelsin.

Yusuf başına gelen bu bela üzerine yalvarıp yakardı, tahliyesi için bir miktar para verdikten sonra:

* müstentik: sorgu yargıcı.

– Bana kırk gün müsaade edin. Onu size getireyeyim de suçsuz olduğumu ispat edeyim bari, dedi. Müstentik de kabul etti. Yusuf'u kefalete rapten* tahliye etti. Zavallı delikanlı akşam olunca damdan dama gezen hırsızı görüyor, iki gözü iki çeşme ağlayarak hırsızdan karakola gidip kızın cesedini bıçakla kestiğine dair ifade vermesini rica ediyordu. "Senin yüzünden ben hapislerde mi çürüyeceğim" diye yalvarıyordu. Hırsız onun bu sözlerine gülüyor, damdan dama atlayarak kaçıp gidiyordu.

Yine bir akşam vakti, Yusuf böyle ağlayıp dururken bir kadına rastladı. Kadın:

– Aaa! Evladım, dedi. Niçin böyle hüngür hüngür ağlıyorsun? O güzel gözlerine yazık değil mi? Gencecik, filiz gibi delikanlısın, daha senin ne derdin olur ki?

Yusuf bunun üzerine minevvel, minahir başından geçenleri eksiksiz anlattı. Kadın:

– İlahi yavrucuğum, dedi. Ayol bunda düşünecek, üzülecek ne varmış? O Demir Ayak hırsızı mı ne, ben sana onu yakalayıveririm, olur biter.

– Aman teyze doğru mu söylüyorsun? Söyle kulun kurbanın olayım. Sana istediğini vereyim.

– Elbette doğru, iki gözümün nuru. Yalnız sen bana bir avuç altın ver. Ayrıca kırk tane zaptiye temin et. Yarın öbür gün o keratayı sana teslim edivereyim.

– İstediğin bu olsun. Yarın da zaptiyeleri getiririm, diyerek Yusuf kadına iki avuç altın verdi.

Eski İstanbul hanımları yamanmış. Değil Demir Ayak hırsızını yakalamak, şeytanın kuyruğunu kapı arasına sıkıştırıp pabucunu bile ters giydirirlermiş. İşte bu hanım da altınları alınca doğru çarşıya gitti. Bir alay mum aldı. Sonra satenden

* rapten: bağlayarak.

yapılmış pırıl pırıl bir gelinlik satın aldı. Manavdan da kata turp. Bütün bunlardan başka bir altını bozdurup sarraftan avuç dolusu bozuk para tedarik etti. Ertesi gün Yusuf kırk zaptiye ile gelince bunları evin bodrumuna sakladı ve:

– Ben, "Çıktıı! Çıktııı!" diye bağırınca siz hiç durmadan misafir odasına gelir, hırsızı yakalarsınız, dedi. Yavaş yavaş karanlık basınca, hanım çarşafı giyip bohçasını koltuğunun altına alarak sokağa çıktı. Damda Demir Ayak hırsızını görünce komşusuna seslendi.

– Huuu! Hat'çaanım! Ben Üsküdar'a yatıya gidiyorum. Evde kimse yok. Göz kulak oluverin emi? Bir ısmarladığınız var mı? Sonra Demir Ayak hırsızına dönüp:

– Oğlum, komşulardan işittim; Demir Ayak mı, Ayak Demir mi ne bir hırsız varmış. Kuzum bizim eve göz kulak ol da içeri girip bir nane karıştırmasın. Zira ben bir eski zaman kadınıyım. Çeyiz sandığımda külçe ile incilerim, pırlanta küpelerim, iki iç tane beşi bir yerdem var. Olur mu evladım. Sana zahmet olacak ama.

– Aaa! Hanım teyze, sen hiç merak etme, diye hırsız güldü. Saf görünen kadın çıktı gitti. Ama aslında çıkıp gitmedi. Arka sokaktaki bahçe kapısından kimseye görünmeden acele ile eve döndü. Kapıyı kilitledikten sonra gelinliği giydi. Duvağı yüzüne örttü. Bir gün evvelden pencerelerin içlerine ve aklına gelen her yere diktiği mumları yaktı. Ökçeli pabuçlarını ayağına geçirdi. Perdeleri açtı. Yaptığı turp salatasını tel dolaba koymuştu. Başladı beş aşağı beş yukarı volta atar gibi gezinmeye. O sırada Demir Ayak hırsızı da tam karşı dama gelmişti. Kendi kendine söylendi. "Yahu bu evin sahibi Üsküdar'a gitti. O halde bu pırıltılı ışıklar da ne? Dur yakından gidip bir bakayım şuraya." Atlaya atlaya kadının damına geldi. Baş aşağı sarkıp içeriyi seyretmeye başladı. "Vay canına!" dedi. "Yahu aşağıda perilerin düğünü var. Hiç de görmediydim." Bizim açıkgöz kadın pıtır pıtır merdivenlerden indi.

– Koltuk oluyor! Koltuk oluyor! Allah'ını seven maşallah desin!* Sonra elindeki bozuk paraları şangır şungur merdivenlere doğru fırlattı.

Demir Ayak hırsızı "Buradan iyi görünmüyor. İçeri gireyim bari" diye düşündü. Ve hop diye sofaya atladı. Kadın onu görmezliğe geldi Hiç oralı bile olmadı. Sanki yanında damat varmış gibi utana utana, kırıta kırıta odaya girdi. Kapıyı kapattı. Hırsız da geldi gözünü anahtar deliğine uydurdu. Kadın, kendi kendine konuşuyor, gülüşüyor, sanki yanında bir erkek varmış gibi cilveler yapıyordu.

Hırsız, "Perilerden yalnız biri gözüme görünüyor herhalde" diye düşündü. Kadın içeride yeniden konuşmaya başladı.

– Aman çocuğum olacak galiba. Aş ermeye başladım. Ne olur efendiciğim, bana müsaade edin. Bir turp salatası yemek istiyorum. Şimdi gelirim, dedi. Dışarı çıkıp, tel dolaptan turp salatası aldı. Hısıza hiç aldırış etmeden içeri girip kapıyı kapattı.

Hırsız, "Şu periler de ne antika mahlûklarmış. Şimdi evlendi şimdi hamile kaldı. Şimdi aş eriyor Dur bakalım daha ne olacak?" diye düşündü.

İçeride kadıncağız bir taraftan yiyiyor, bir taraftan daha önce hazırladığı tasın içine sanki midesi bulanıyormuş gibi çıkarıyordu. Salata bitince:

* Eski İstanbul düğünlerinde koltuk, düğünün rükünlerinden, yani bölümlerinden biridir. Bu esnada gelinle damat yan yana gelir. Yenge koltuk oluyor, diye bağırır. Davetliler maşallah diye seslenirken damatla gelin çocuklar kapışsın diye avuç dolusu bozuk parayı yerlere atarlar.

133

– Amanım efendim! Efendiciğim! Çabuk bana bir ebe çağır. Sancıdan ölüyorum. Anneciğim, aman anneciğim. Ölüyorum. Ahh! Off! Ahh! Off! Yetişin dostlar. Amanın.

Hırsız, doğacak çocuğu görmek için kapıyı açıp içeri girdi. Kadın ona hiç aldırış etmeden konuşmasına devam ediyordu.

– Aman! Geldin mi ebe hanım. Hay Allah senden razı olsun. Off! Ellerin dert görmesin.

Hırsız, doğum hâlini en iyi yerden seyretmek imkânını sağlamak için musandıranın* üzerine çıktı. O zaman kadın avazı yettiği kadar:

– Çıktıı! Çıktıı! diye bağırmaya başlayınca zaptiyeler hemen odayı dolduruverdi. Kadına:

– Nerede hanım? Demir Ayak hırsızı nerede? diye sorunca o da parmağı ile işaret ederek:

– Nerede olacak, zamane veledi musandıranın üstüne çıktı, dedi.

Demir Ayak hırsızı yakalandığı zaman:

– Kırk senedir hırsızım, başıma böyle bir şey gelmedi. Bütün hayatımda böyle fentli kadına rastlamadım, dedi.

Yusuf bu suretle suçsuz olduğunu ispat edince rahat bir nefes aldı. Ayrıca azılı bir hırsızı yakalattığı için birdenbire bütün İstanbul'da meşhur oldu.

İkinci Vezir Haldun Paşa, onu tebrik için evine kadar geldi. Hikâyeyi başından sonuna kadar delikanlıya anlattırdı. Sonra:

– Oğlum, dedi. Seni şimdi tanıdım. Sen benim büyük kızım öldüğü zaman ağlayıp çırpınan delikanlısın. Ancak sana o paraları mücevherleri veren büyük kızım değil, küçük kızım-

---

* musandıra: Eski İstanbul evlerinde yorgan yastık ve yatakların üst üste konduğu, yüklüğün en üstündeki sağlam geniş raftır ki bazen bunun üzerine de bavul ve sepetler konurdu.

dır. Çünkü senin ona rastladığın sırada büyük kızım yataktan çıkamayacak kadar hastaydı, dedi.

Bunun üzerine güzel Yusuf çok sevindi. Allah'ın emriyle paşanın kızına talip oldu. Kırk gün kırk gece süren bir düğünden sonra evlendiler. Sonradan padişahın affı şahanesiyle hapisten kurtulan Demir Ayak hırsızı da tövbekâr olarak fentli kadına talip oldu ve onunla evlendi. Yusuf annesini de yanına aldı. Ona habire, "Ah anacığım, iyi ki beni evden kovdun, saadetimi sana borçluyum" diye takılıp durdu. Onlar ermiş muradına, bir çıkalım kerevetine.

Kesedeki Mühür

Çapa'da iyi bir aile yaşardı. Bir kadın, bir erkek. Bunlar gayet mesuttular. Bir gün evin hanımı ufak tefek bazı ihtiyaçları için çarşıya gidecekti. İhtiyar komşusuna dışarı birlikte çıkmaları için rica etti. Zira her zaman dışarıya beraber giderlerdi. Kadın hem genç hem güzeldi. Yalnız başına sokağa çıkmaya çekinirdi. Neyse bunlar birlikte çarşıya gittiler. Bir dükkândan hem çarşaflık hem de elbiselik alacaklardı. O sırada bir tersane yüzbaşısı geldi, hanımın yanında durdu. İlle de aldığınız şeylerin parasını ben vereyim, diye ısrar edince kadın "Ne münasebet" dedi. Yüzbaşı "Aman ne olur canım, ne zararı var" diye üsteleyince kadın:

– Ben bildiğiniz kadınlardan değilim. Benim aslan gibi beyim var. Ayağımın pabucunu başıma mı geçireceğim. Benim kocam mabeyinde, hâlim vaktim de yerinde, diye cevap verdi.

Hanımlar dükkândan çıkıp eve gele dursunlar tersane zabiti bunları takip etti. Fakat kaşla göz arasında bitpazarından geçerken elbisesini değiştirip mülkiye elbisesi giydi. Kadınların hangi sokakta oturduklarını, adreslerini iyice öğrendi.

Bu vakadan sonra aradan bir sene geçti. O sırada ramazanın birinci gününden on beşinci gününe kadar Sultan Hamit sarayda iftar veriyordu. Mabeyinci de görevi icabı iftara gidiyordu. Karısı yalnız kalmasın diye de ihtiyar hanımı çağırıyor ve iki kadın beraber vakit geçiriyorlardı. Bu sefer de ihtiyar kadına seslendiler. O da "Gelirim ama Fatih'te mevlüt var. Dönüşte size gelirim" dedi.

Hanımın kocası Sultan Hamit'in mabeyindeki iftarına, ihtiyar da Fatih'deki mevlite gitti. İhtiyar kadın mevlitten çıkınca yanına bir adam geldi. İhtiyar kadının ellerine sarıldı.

– Ah ben seni gökte ararken yerde buldum. Al sana on lira. Şu keseyi onun yastığının altına koy.

İhtiyar kadın fakir olduğu için dayanamadı. Adamın dediğini yaptı. O gece geçti. Ertesi akşam kadının kocası geldi. Yemeklerini yediler. Kahvelerini içiyorlardı. Bu arada tersane yüzbaşısı da kahveciye gitti. Böyle böyle... Benim mührüm kadının yastığı altında kaldı. İlle ben mührümü isterim, diye iftira atarak şikâyetçi oldu. Kahveci mahalleli ile bir oldu, kadının evine baskın yaptılar ve herifin ihtiyar kadına koydurttuğu kesedeki mührü buldular. Bunun üzerine mabeyinci karısını telaki selase* ile boşadı. Mabeyinci kadına "Çık evimden dışarı" diye bağırdı. Kadın, imama sorsa "Sus terbiyesiz" diyordu. Zavallı ağlaya ağlaya üç ay orada kaldı.** Üç ay on gün sonra kadıncağıza tersane zabiti ile nikâh

* telaki selase ile boşamak: bir daha o kadınla asla evlenmemek üzere boşamak demektir.

** iddet müddeti: Kadın boşandıktan sonra hamile olup olmadığını anlamak için üç ay sureyle bekletilir, ondan sonra evlenmesine müsaade edilirdi ki çocuğun kimden olduğu anlaşılsın diye.

kıydılar. Zabit güveyi olarak kadının yanına geldi. Kadın saçını başını bile taramamıştı. Zabit:

– Nasıl? Şimdi ayağının papucunu başına giydin mi böyle, diye kadına nispet verdi. Kadın:

– Ya! dedi. Ben de kiminle evlendiğimi bilmiyordum. Biraz süsleneyim geleyim, diye dışarı çıkıp başına bir örtü örttü. Soluğu Çapa Karakolu'nda aldı. Tersane zabitinin nasıl iftira ile kendisini kocasından ayırttığını anlattı. İhtiyar kadını da şahit tuttu. Olay Sultan Abdülhamit'e kadar aksetti.

Sultan Abdülhamit "Bir daha zabitler mülkiye elbisesi giymeyecek" diye emir çıkarttı. Kadın ile kocası barışıp başka memlekete gittiler. Onlar ermiş muradına...

ÂSİTÂNE
MASALLARI

Altın Kim, Gümüş Kim, Bakır Kim

Bir padişah bir gün bahçesinde gezerken gözü, kan ter içinde odun yaran oduncusuna ilişti.

– Oduncu baba! diye seslendi. Sana bir sual soracağım. Bilirsen bir torba altın vereceğim. Ama bilemezsen kafanı keserim.

– Boynum kıldan incedir padişahım. Buyurun sorun.

– Pekâlâ öyleyse. Bil bakalım altın kim, gümüş kim, bakır kim? Sana kırk gün mühlet veriyorum.

Oduncu odunları bırakıp evine döndü. Başladı ağlamaya. Nereden bilip de söylesin? Bilmiyor ki!

Oduncunun üç kızı vardı. Büyük kız odaya girip babasının ağladığını görünce:

– Ah benim canım babacığım, tonton babacığım. Niçin böyle kederlisin? diye sordu.

– Sorma, kızım. Bugün padişah bana "Altın kim, gümüş kim, bakır kim?" diye sordu. Bilemezsem kırk gün sonra kellemi kesecek.

– Ayol düşündüğün şeye bak! Ben de zannettim ki kızımı askere mi vereceğim, kâtibe mi vereceğim diye düşünüyorsun.

Oduncu buna son derece kızdı.

– Yıkıl karşımdan edepsiz, diye büyük kızı kovdu. Adam öleceğini düşünüyor, kız koca düşünüyor. Kasap et derdinde, koyun can derdinde. Oduncu son derece üzgün, ağlarken ortanca kızı geldi.

– Ah benim şeker babacığım, nonoş babacığım. Niye öyle kederlisin?

– Çekil başımdan kız!

– Ne olur derdini söyle babacığım.

– Pekâlâ. Bugün padişah bana bir sual sordu. Eğer bilemezsem kırk gün sonra kellemi kesecek. İşte onu düşünüyorum.

– İlahi babacığım, dedi kız. Ben de sandım ki, "Büyük kız gelin oluncaya kadar bu kız evde kartlaşıp kalır mı acaba" diye düşünüyorsun.

Oduncu:

– Defol karşımdan terbiyesiz. Karşında baban olduğunu unutuyorsun galiba.

Biçare adam ümitsiz bir hâlde yeniden düşüncelere daldı. Boşa koyuyor dolmuyor, doluya koyuyor almıyordu. O sırada küçük kızı geldi.

– Benim sevgili, candan aziz babacığım. Ne düşünüyorsun? diye sordu.

– Çekil karşımdan kız. Sen de ablaların gibi değil misin? Beni çileden çıkarmadan ortadan kaybol bakayım, dedi oduncu.

– Fakat babacığım, çok kederli görünüyorsun. Derdini söylemeyen derman bulamaz. Belki ben sana çare olurum.

– Pekâlâ. Bugün padişah bana "Altın kim, gümüş kim, bakır kim" diye sordu. Bilemezsem kırk gün sonra başımı kesecek.

– Yaa! Öyleyse şimdi benim dediğimi dinle. Kalkar sokağa çıkarsın. Fatih mi olur Beyazıt mı, nerede bir meydan bulursan orada oyun oynayan çoçuklar var mı bakarsın. Oyuncu çocuklardan kim bir köşeye oturup oyuna karışmadan akıl veriyorsa ona bu suali sorarsın. Bilirse böyleleri bilir. Ben bilmem.

Oduncu kızına hayır dua okuyarak sokağa çıktı. Cadde cadde, meydan meydan, tarif edilen tarzda akıl veren bir çoçuğu aramaya koyuldu. Nihayet Kadırga Meydanı'na geldi. Orada bir alay çoçuk oynuyordu. Bir tanesi de kapı eşiğine oturmuş, şunu şöyle yapın bunu böyle edin diye akıl öğretiyordu. Oduncu gelip çocuğun yanına oturdu.

– Çocuğum, senin adın ne? diye sordu.

– Mehmet.

– Akıllı birine benziyorsun. Sana bir sual sorayım, bakalım bilebilecek misin?

– Sor bakalım.

– Altın kim, gümüş kim, bakır kim?

Çocuk gülerek;

– Onu bilmeyecek ne var? Altın padişah, gümüş veziri vüzerası, bakır da teb'ası, yani senin benim gibi insanlar.

– Aferin çocuğum, iyi bildin. Al şu parayı kendine çukulata alırsın, diyen oduncu kalkıp padişahın huzuruna çıktı. Sualin cevabını çocuktan öğrendiği gibi verdi.

– Oduncu baba, bu sualin cevabını sen bilmedin. Söyle doğrusunu kim bildi?

– Cevabı on iki yaşlarında Mehmet isminde bir çocuk bildi, Padişahım.

Padişah oduncuya birçok ihsanlarda bulunduktan sonra Kadırga'da oturan Mehmet'in saraya alınmasını emretti.

Mehmet saraya geldikten sonra padişah onu her gün biraz daha fazla sevmeye başladı. Zira bu çocuk ne sorulsa derhal cevabını verir, akıl daneliği, hazır cevaplılığı ile herkesi kendine hayran bırakırdı.

Böylece seneler geldi geçti. Mehmet yirmi yaşına geldiği zaman ikinci vezir oldu. Bir gün padişah, sadrazamla Mehmet'i yanına alarak tebdil kıyafet gezmeye çıktı. Dönüşlerinde, yayan olarak gelirlerken, Fatih civarında son derece güzel bir kadın gördüler. Fettan kadın, onların gittiği istikamete doğru yürürken padişahı saat birde evine çağırdı. Saat ikide de sadrazamı davet etti. Mehmet'e ise saat üçte gelmesini bildirdi. Nasıl yapmıştı bilinmez, üç adamın da birbirlerinden ve bu davetlerden haberi olmamıştı.

Akşam olunca, padişah sarayında en münasip elbiselerini giyinip süslenerek tebdil kıyafet davet edildiği eve gitti. Heyecan içinde güzel kadının kapısını çaldı. Kendisini pür iltifat karşılayan hizmetçilerin gösterdikleri misafir odasına kurulup dilber hanımı beklemeye başladı. Biraz sonra içeri bir halayık girip kahve ihram etti. Çok geçmeden başka bir halayık temiz bir bohça içinde gecelik entarisi ve takke getirdi. Padişah elbiselerini çıkarıp bunları giydi. Kendi esvaplarını da devşirip bohçanın içine yerleştirdi. Uzunca geçen bir bekleyişten sonra tepsinin içinde haşlanmış bir tavuk, bir bütün karpuz, bir okka* kesilmemiş ekmekle bir bıçak geldi.

Padişah baktı ki karnı tok; bir yudum tavuktan aldı, biraz da karpuzdan yedi, ekmeğe ise hiç dokunmadı. Hizmetçiyi çağırıp tepsiyi kaldırttı. Ardan iki dakika geçmeden, üç dört halayık ellerinde sopalarla padişahın üzerine yürüdüler. Başladı-

---

* okka: yaklaşık bir buçuk kiloya denk gelen eski bir ağırlık ölçüsü.

lar dövmeye. Bayıltıncaya kadar dövdükten sonra kaldırıp pencereden aşağıya attılar.

Saat iki olunca bu sefer sadrazam pür tuvalet teşrif etti. Onu da iltifat ederek karşılayıp misafir odasına aldılar. Kahvesini getirip sırtına gecelik entarisi giydirdiler. Önüne haşlanmış bütün tavuğu, bölünmemiş karpuzu ve kesilememiş ekmeği koydular. Sadrazamın karnı toktu. Ama tavuğu severdi. Ekmekle tavuğun bir budunu yedi. Lâkin karpuza dokunmadı. Hizmetkârlar gelip tepsiyi aldıktan sonra ellerinde sopalarla geri döndüler. Yermisin yemezmisin deyip adama esaslı bir sopa çektiler. Bitap hâle düşünce kaldırıp pencereden bahçeye fırlattılar.

Padişah kendi akıbetine uğramış bir adamın yanı başına düştüğünü görünce eğilip ay ışığında yüzüne baktı. Bir de ne görsün, sadrazam değil mi?

– Vay! Sen de mi geldin? diye gülmeye başladı. Sadrazam inleyerek utançla yerinden doğruldu.

– İyi ama devletlim! Sizin burada ne işiniz var?

– Ne işim olacak? Bugün Fatih'te dilber bir yosma beni davet etti. İltifat ile karşıladılar; bir tepside tavuk, karpuz, ekmek ikram ettiler. Sonra da dövüp aşağı attılar.

– Allah kahretmesin! Benim başıma da aynı şeyler geldi. Herhalde o tavukların, karpuzların bir mânâsı olacak. Böyle ince geceliklerle ayazda hasta olacaksınız Şevketlim. Şuradan bir landon* bulabilseydim bari.

– Dur dur acele etme! Bakalım Mehmet'i de davet etmişler mi? Ama o çok akıllıdır. Bizim başımıza gelenler onun başına gelmez. Pencereden içersini seyredelim de neler olacak görelim.

---

* landon: şık donatılı atlı araba.

Hakikaten saat üç olunca Mehmet geldi. Misafir odasına alındı. Gecelik entarisini giyip kahvesini höpürdetti. Nihayet sıra tavukla karpuza geldi.

Mehmet sininin başına geçti. Tavuğu iyice didikleyip bıraktı. Sonra ekmeği lokma lokma doğradı. Bıçağı alıp karpuzu oyduktan sonra tepsiyi gelen halayığın eline tutuşturdu.

Aradan çok geçmeden kapılar açıldı. İpekler, tüller içinde, huriler kadar güzel bir dilber göründü. Bu, daveti yapan hanımdı. Gülerek Mehmet'e bir şeyler söyledikten sonra, pencerenin perdelerini iyice örttü.

– Gördün mü vezir? Oğlan nasıl akıllı! Haydi bakalım, şuradan bir landon çağır da saraya dönelim, dedi. Vezir, üzerindeki gecelik kıyafetliyle yakınlarda oturan bir dostunun evine gidip elbise tedarik etti. Yolda bir landon bulup padişahı bahçeden aldı. Onun giyinmesine yardım etti. Böylece saraya döndüler.

Padişahın o gece gözüne hiç uyku girmedi. O ekmeklerin, karpuzların, tavukların mânâsını çok merak ediyordu. Sabah olur olmaz Mehmet'i acele saraya çağırttı. Ve:

– Oğlum dün akşam neredeydin? diye sordu.

– Evimde istirahat ediyordum efendimiz.

– Oğlum bana yalan söyleme, nerede olduğunu biliyorum. Onun için boş inkârlara sapma, söyle neredeydin?

– Evimde efendimiz.

– Benim kafamı kızdırma. Sonra gençliğine yazık olur.

– Boynum kıldan incedir padişahım. Lâkin başka bir söyleyeceğim yok.

– Ya! Öyle mi? Pekâlâ. Baltacılar! Gelin tez şu oğlanı yakalayın. Sana bir hafta mühlet veriyorum. Ondan sonra da konuşmamakta ısrar edersen idamın vaciptir. Haydi götürün.

Bir hafta geçtikten sonra dahi Mehmet sırrını söyleme-
mekte inat etti. Nihayet darağacı çatılıp halk birikti. Padişah,
vezir vüzera ve elleri arkadan bağlı Mehmet meydana geldi.
Padişah son olarak:

— Mehmet oğlum, sorduğum suale cevap verecek misin?
diye sordu.

Mehmet başıyla "hayır" işareti yaptı. O sırada kalabalığın
arasından yüzü siyah peçe örtülü bir kadın, Mehmet'in ayak-
larının dibine olgun bir nar fırlattı. Nar yere düşünce parçala-
nıp yakuta benzeyen taneleri etrafa dağıldı. O zaman Mehmet
ilmek boynuna geçirilirken:

— Sorduklarına şimdi cevap verebilirim Hünkârım, dedi.

Padişah eliyle işaret edip delikanlıyı serbest bıraktırdı. Ve
peçeli kadınla beraber huzura gelmelerini emretti. Saraya gi-
rip yalnız kaldıkları vakit:

— Şimdi söyle bakayım Mehmet! O karpuz, tavuk ve ekme-
ğin mânâsı neydi?

— Efendimiz bunun mânâsı bir yemindi. Yemin ettiğim
için size söyleyemedim.

— Yemin mi, ne biçim bir yemin o öyle?

— Tavuğu didikledim, bunun mânâsı "etlerimi böyle didik-
leseler" idi. Ekmeği lokma lokma parçaladım, bunun mânâsı
"beni böyle doğrasalar" idi. Karpuzu oydum, bunun manası
"gözlerimi böyle oysalar yine de bu gecenin sırrını kimseye
söylemeyeceğim" demektir.

— Pekâlâ, o nar ne oluyor?

— Asılacağım zaman hanım narı fırlatarak "Gençliğine kıy-
ma, yeminini iade ediyorum. Sözlerini nar taneleri gibi saç"
demek istedi.

– Hay Allah! Hay Allah lâyığınızı versin. Ama seni çok takdir ettim. Bundan sonra seni kendime lala tayin ediyorum. O kızla evlen. Biz de düğün dernek kurup eğlenelim. Kâğıthane'deki beyaz köşkü de sana ihsan ediyorum. Haydi, şimdi git dinlen ve hazırlıklarını yap bakalım.

Padişah Mehmet'i yolladıktan sonra keyifle güldü. "O akıllıysa ben de istediğimi yapıyorum. Ve böyle adamların kadrini biliyorum" diye düşündü. Zaten böyle yaptığı için o büyük bir padişahtı. Onlar ermiş muradına...

Keçendoz

Vaktiyle Yemen Padişahı'nın gayet güzel bir kızı vardı. Bu kız sanki ayın on dördü, günün on beşiydi. Yüzüne kırk kat tül örtseler yine de çehresinin nuru, etrafı ışıklandırırdı. Dilberliğinin ünü bütün cihanı sarmıştı. Her memleketten krallar, prensler, sultanlar, şehzadeler onu istemeye geliyorlardı. Ne yazık ki son derece bilgili ve zeki olan Sultan Hanım, biraz fena huyluydu. Babasının biricik evlâdı olduğundan şımardıkça şımarmış, her istediğini yaptırmaya alışmıştı. Bu yüzden burnu Kafdağı'na çıkmıştı.

Yemen Padişahı, artık zamanı geldiği için kızını evlendirmek istiyordu. Sultan Hanım, ziyadesiyle ısrar eden babasını kırmamak için evlenmeyi bir şartla kabul etti. Taliplerine üç şarkı okuyacaktı. Eğer güfteleri bilmece olan bu şarkıların şifrelerini çözen olursa onunla evlenecekti. Bilemeyenlerin de kafası kesilecekti.

Padişah bu ağır şartı kabul etmek istemediyse de güzel kızının yalvarıp sızlanmasına dayanamayarak razı oldu. Oldu ama talip olarak bu sınava giren kimseler şarkıların mânâsını anlayamıyor, bu yüzden filiz gibi delikanlı oldukları hâlde kafaları kesilip duruyordu. Aksi gibi kızın güzelliğine tutulanların sayısı da gittikçe artıyordu. Bu durum ise Sulan Hanım'ın uğursuzluğu hakkındaki dedikoduların memleketten memlekete yayılmasına sebep oluyordu.

Bir gün İstanbul Padişahı'nın, genç yakışıklı ve çok akıllı şehzadesi, saraya eşya getiren bezirgândan Yemen Sultanı'nın kızı hakkında anlatılanları işitti. Şehzade şu kızı görmek için, içinde derin bir tecessüs* duydu. Günden güne bu hissi kuvvetlendi. Nihayet dayanamayıp şevketlu babasından izin istedi. Yanına bir tabur yeniçeri alarak Anadolu'yu geçti. Irak üzerinden Arabistan yarımadasının batı kıyılarında yer alan Yemen'e geldi. Askerlerine bir vahada mola vermeleri ve çadır kurmaları için emir verdi. Kendisi birkaç ay ortalıktan kaybolacaktı. Askerileri ise ondan haber alıncaya kadar çadırlarında bekleyeceklerdi. Şehzade böylece askerlerinden ayrılıp şehre doğru yola çıktı. Yolda rastladığı bir kaz çobanın elbiselerini kendi sırmalı kıyafetleri ile değişti. Kazları alıp kale kapısından içeri girdi. Bir dükkândan aldığı rengârenk patiskalardan her birine elbiseler yaptırdı. Başına da bir deri geçirip alelade bir keloğlan kıyafetine girdi. Bu acayip vaziyette, renk renk kazları ile sarayın önünde dolaşmaya başladı. Çok geçmeden cariyeler onu fark ettiler. Kahkahalarla gülerek Sultan Hanım'a da keloğlanı gösterdiler. Güzel sultan da billur gibi şakrak kahkahalar attı. Sonra da bu kaz çobanının saraya alınmasını emretti. Gayet tabii olarak bu emri iki ettirmediler. Cariyelerden biri keloğlana ismini sordu. O da ismi-

---

* Üstüne vazife olmayan şeylere duyulan merak. Bu merakı duyanlara mütecessis denir.

nin "Keçendoz" olduğunu söyledi. Adı da kendisi gibi komikti. Kulaktan kulağa bu isim sarayda dolaştı. Gül dudaklardan alaylı gülüşler fıkırdadı.

Aradan ne kadar zaman geçti bilinmez. Bizim Keçendoz, bir gün Yemen Padişahı'nın huzuruna çıktı. Ve Allah'ın emri peygamberin kavliyle* Sultan Hanım'ın desti izdivacına talip oldu. Zira çobanlık ederken has bahçede dolaşan dilber sultanı görmüş ve ona âşık olmuştu.

Padişah onu bu hülyadan vazgeçirmek için boşuna dil döktü. Keçendoz nuh diyor peygamber demiyordu. Aşkından ciğeri öyle yanmıştı ki "of!" diye inleyince ağzından dumanlar çıkıyordu. Çarnaçar Yemen Padişahı sonunda Keçendoz için imtihan gününü tayin etti. Eğer çoban soruları bilirse sultanla evlenecekti. Gerçi bir kaz çobanı bir sultana asla layık olamazdı. Lâkin kız o kadar delikanlının başını yedikten sonra böyle bir kaderi doğrusu hak etmiş sayılırdı. Münadiler** imtihan gününü ilan ettiler. O gün şehrin en büyük meydanı kalabalıktan geçilmiyordu. Rengârenk yaşmaklı kadınlar, harmanilere bürünmüş erkekler, heyecanla bekleşiyordu. Her kafadan bir ses çıkıyordu. Nihayet Yemen Padişahı meydanda kendisi için hazırlanan şerefli tahta kuruldu. Hemen yanına yeşil ipekten zar çekildi.*** Sultan Hanım geldi. Davullar zurnalar çalıyor, meydan çın çın öttürdü. Kulakları sağır eden gürültü bir anda kesildi. Yırtık pıtık elbiseleriyle kel kafasıyla Keçendoz, imtihan suallerine cevap vermeye hazır olduğunu işaret etmişti.

* kavl: Karar üstüne sözleşme.
** münadi: Resmi makamların emirlerini ve fermanlarını yüksek sesle bağıra
   rak halka ilan eden görevli memurlara verilen isim.
*** Güzeller güzeli sultan yeşil renkli transparan bir ipek örtünün gerisine
    oturtuluyor.

Dilber sultan bülbüller kadar şakrak sesiyle şarkısını söylemeye başladı.

Ey Keçenoz Keçendoz
Yumurtadan ömrün az
Sana bir şey sorayım
Bilir misin Keçendoz?

Keçendoz hemen cevap verdi:

Ey sultanların hası
Ne var onu bilmesi
Her ne dersen bilirim
Sultan seni sararım.

Sultan Hanım devam etti:

Bizim evde nuh kuyu
Bilir misin Keçendoz?
İçindedir nur suyu
Bilir misin Keçendoz?
Ortasında akrepçik
Bilir misin Keçendoz
Ucundadır cevhercik
Bilir misin Keçendoz?

Keçendoz cevap verdi:

Ey hanların hası
Ne var onu bilmesi
Her ne dersen bilirim
Sultan seni sararım
Sizin evde nuh kuyu
Kandiliniz mi ola?

Ortasında akrepçik
Şamandıranız ola
Ortasında cevhercik
Yanan mumunuz ola

Sultan Hanım bu cevap üzerine çok fena oldu. Gözlerine
yaşlar doldu. Titreyen sesiyle;

Hey nazinko nazinko
Nazinko da sözün ko
Yazık benim tenime
Keçendoz mu saracak?

dedi ve düştü bayıldı. Hemen gümbür gümbür toplar atıldı.
Halk birbirine girdi. Cariyeler sultanı kucaklayıp götürdüler.
İkinci imtihan ertesi günüydü. Güneş ağır ağır battı, çabuk
doğdu. Yahut Keçendoz'a öyle geldi. Halk yeniden meydanda
toplandı. Padişah her zamanki gibi şerefli yerini aldı. Sultan
Hanım'ın oturacağı tahtın etrafına zar gerildi. Ahali bir gün
evvelkine nazaran çok daha kalabalıktı.

Sultan Hanım, kanaryaları bile kıskandıracak tatlı sesiyle
ikinci imtihan şarkısını okumaya başladı.

Ey Keçenoz Keçendoz
Yumurtadan ömrün az
Sana bir şey sorayım
Bilir misin Keçendoz?

Keçendoz hemen cevap verdi:

Ey hanların hası
Ne var onu bilmesi
Her ne dersen bilirim

Sultan seni sararım.
Sultan Hanım devam etti:

Bizim evde gül çubuk
Bilir misin Keçendoz?
Etrafında filizcik
Bilir misin Keçendoz?

Keçendoz gülerek cevap verdi:

Ey sultanların hası
Ne var onu bilmesi
Her ne dersen bilirim
Sultan seni sararım.
Sizin evde gül çubuk
Zatı âliniz ola
Etrafında filizcik
Cariyeler mi ola?

Sultan Hanım bu cevap üzerine güçlükle şöyle dedi:

Hey nazinko nazinko
Nazinko da sözün ko
Yazık benim tenime
Keçendoz mu saracak?

dedi ve düştü bayıldı. Gümbür gümbür toplar atıldı. Meydan allak bullak oldu. Kimi, dilber kıza acıyor; kimi "Oh olsun" diyordu. Ertesi günkü üçüncü imtihanda da şifreli bilmeceli şarkılar okunacak, kati netice belli olacaktı.

Eh, sayılı gün çabuk geçer derler. O gün de geldi. Bu sefer meydanda şeyhülislam da bulunuyordu. Eğer Keçendoz üçüncü şarkıyı bilirse hemen orada nikâhı kıyılıverecekti. Padişah şerefli yerini aldıktan sonra Sultan Hanım'ın tahtının etrafına mor ipekten bir zar çekildi. Sultan Hanım geldi. Herkes yerini almıştı. İğne düşse sesi duyulacaktı. Arı vızlasa kanadı gürültü koparacak gibiydi. Herkes nefes almadan olacakları bekliyordu. Nihayet Sultan Hanım şarkısına başladı:

Ey Keçenoz Keçendoz
Yumurtadan ömrün az
Sana bir şey sorayım
Bilir misin Keçendoz?

Oğlan cevap verdi:

Ey sultanların hası
Ne var onu bilmesi
Her ne dersen bilirim
Sultan seni sararım

Sultan Hanım bütün ümidini bağladığı son imtihan sorusunu dillendirdi:

Bizim evde yürümez
Bilir misin Keçendoz?
Kuyrucağı kumlamaz
Bilir misin Keçendoz?

Keçendoz bir kahkaha attı.

Ey hanların hası
Ne var onu bilmesi
Her ne dersen bilirim
Sultan seni sararım
Sizin evde yürümez
Sacayağınız ola
Kuyrucağı kumlamaz
Katırınız mı ola?

Gümbür gümbür toplar atıldı. Dilber sultan artık cevap verememiş, oraya düşüp bayılmıştı. Yüzüne gül suları serpip ayılttılar. Şeyhülislam efendi Sultan Hanım'la Keçendoz'un nikâhlarını oracıkta kıydı. Bundan sonra Keçendoz, kayınbabası olan Yemen Sultan'ından bir haftalık izin istedi. Yedi gün sonra gelecek, kızı alıp memleketine götürecekti.

Güzel sultan artık yas içinde döşeklere serildi. Bütün cariyeleri siyahlar giydi. Saray siyahlara boyattırıldı. Bütün memleket mateme bulandı.

Bu sırada Keçendoz, askerlerinin yanına döndü. Kendisini keltoş gösteren kafasındaki yağlı deriyi fırlatıp attı. Sırmalı elbiselerini giydi. Taburun başına geçti. Davullar zurnalar çaldırarak şehre girdi. Yemen Padişahı'nın huzuruna çıktı. Kendisini İstanbul Padişahı'nın veliaht şehzadesi olarak tanıtıp gelini götürmeye geldiğini söyledi. Padişah gözlerine inanamadı. Sultan Hanım'a kocasının kaz çobanı değil, Rum hükümdarının veliaht şehzadesi olduğuna dair müjdeler gitti. Kısa zamanda memleket neşeye boğuldu. Yapılan düğün kırk gün sürdü. Yeni gelin ile şehzade tantana ile İstanbul'a döndüler. Onlar ermiş muradına.

Kedili Konak

Vaktiyle hayatta kendilerinden başka kimsesi olmayan, huriler kadar güzel, iki kızcağız vardı. Ayşe ve Fatma Hanım kardeşler... İstanbul'un taşrasında, Makraköy'de,* zenginken eşe dosta borç vererek fakirleşen babaları ölünce çok yalnız kalmışlardı. Büyük kız Ayşe Hanım kardeşine:

– Fatmacığım! dedi. Elimizde avucumuzda çok para yok. Dededen kalma konağı satarak İstanbul'a gidelim. Belki orada hayırlı bir kısmetimiz çıkar da yarınlarımız güvende olur.

Küçük kız, ablasının çok akıllı olduğuna inanırdı.

– Peki Ayşe ablacığım, deyip işin içinden çıktı. Böylece dededen kalma konak ile iki ufak dükkân satıldı. İki kardeş İstanbul'a geldiler. Annelerinin uzak bir akrabası varmış. Kendisi imamlık edermiş. Kalmak için, doğru ona gittiler. Fakat kendilerini tanıtmadılar. İmama:

– Biz Mısır'dan geliyoruz. Bir eve ihtiyacımız var. Acaba bildiğiniz kiralık bir yer var mı? diye sordular.

* şimdiki Bakırköy.

İmam efendi, hanımların gayet şık kıyafetlerine bakarak onların namlı bir aileye mensup olduklarına hükmetti. İzzet ikramla genç kızları misafir odasına buyur ettikten sonra:

– Maalesef buralarda kiralık ev yok. Yalnız, ilerdeki sokakta bir konak var. Yıllardır metruk. Kirası da son derece ucuz. Lâkin siz o yerde oturamazsınız çünkü ev perilidir. Hatta kiracı olarak eve yerleşenlerin bazıları ertesi gün korkudan ölmüş diyorlar. Ayşe atıldı:

– Ziyanı yok İmam Efendi! Biz perilere filân aldırış etmeyiz. Ölüm Allah'ın emri. Siz din adamısınız, daha iyi bilirsiniz. Eceli gelmeyen kişi ölmez. Siz bize konağın oturulacak gibi olup olmadığını söyleyin kâfi.

– Pekâlâ, siz bilirsiniz. Bizden ikaz etmesi. Konak, sultanlara lâyık, güzel bir yerdir. Üstelik dayalı döşelidir.

– Ooh! Aradığımızdan âlâsı. Eğer imkân varsa yarın taşınalım. Size zahmet olacak ama bizim için sahibi ile konuşup anlaşırsanız çok seviniriz. Olmaz mı?

– Siz bilirsiniz. Bu gece bizde kalır, evimizi şereflendirirsiniz. Yarın sizin adınıza bütün işleri hallederim. Yine de siz yarına kadar düşünün. Zira bu ev tekin değildir.

– Merak etmeyiniz İmam Efendi. Biz şimdiden kararımızı verdik. Öyle değil mi Fatma?

Kız bermutat* mânâsına başını salladı. Yemekte, imamın hanımı, Ayşe'ye Mısır'ın hangi şehrinden geldiklerini sordu.

– Biz Kahire'de doğduk. Babam zengin ve kudretli bir paşaydı. Beni Mısır valisi ile evlendirdi. Aradan bir sene geçmemişti ki babam vefat etti. Kocam pek ziyade huysuzdu. Yalnız kalan kardeşimi yanıma almıştım. Tuttu, onu yaşlı bir tüccar

* evet.

160

ile evlendirmek istedi. Ben "münasip olmaz" deyince kızdı. Doğrusu ona gücendim. Kalkıp İstanbul'a geldim.

Fatma hayretle Ayşe ablasının uyduruverdiği hikâyeyi dinlemiş fakat hiç sesini çıkarmamıştı. İmam efendi ile hanımı müteessir olmuş, iki kardeşe daha candan bir alâka ve daha büyük bir hürmet göstermeye başlamıştı.

Ertesi gün konak kiralandı. Konu komşu, köşkün Mısır valisinin hanımı tarafından tutulduğunu hemen öğrenmişlerdi. Temizliğe, evi derleyip toplamaya yardıma geldiler. Âdet olduğu üzere komşu evlerden hediye olarak siniler içinde yemekler gönderildi. Güzel Ayşe, hâlinden çok memnundu. Bu kadar iyi döşenmiş bir yerde, sudan ucuz oturacak, sultanlar gibi kurum satacaktı. Yavaşça akşam oldu. Güneş denizin üzerinde alçaldı. Dalgaları, gül şurubu gibi renklendirerek battı. İki kardeş şimdi yapayalnız kalmışlardı. Lambaları yaktılar, sıcak mangalın yanına oturup çorbalarını içtiler. Sıra pirzola yemeye gelmişti.

– Allah razı olsun şu komşulardan. Ne kadar da iyi insanlarmış, dedi Fatma. Abla vallahi sen çok akıllısın. Mısır vali paşası masalı da nereden aklına geldi? Şu pirzolanın nefasetine bak. Ben hafif yağlı olanları daha çok seviyorum.

O sırada kapılardan biri gıcırdadı.

– Duydun mu abla kapı gıcırdadı!

Ayşe, ağzına büyücek bir lokma atarak.

– Ne olacak, gıcırdarsa gıcırdasın! dedi. Sen önündekileri yemeye bak. Yeniden işitilen uzun bir gıcırtı sesi, Fatma'nın asabını bozdu. Lâkin ablası alay etmesin diye sesini çıkarmadı. Bu sefer büyük bir gürültü ile dışarıda bir şey devrildi. Oturdukları odanın kapısı gıcırtıyla tırmalanmaya başladı. Bu sesten içi fena olmayan çok az insan vardır. Ayşe, Fatma'nın eteğini çekmesine aldırmadan ayağa kalktı. Yumuşak ve kıvrak adımlarla yürüyüp kapıyı açtı. Karanlık sofada pırıltıyla ışık saçan bir çift göz, kendine bakıyordu. Ayşe gözlerini kırpıştırdı. Işıldayan gözler, sabit bakışlarla yaklaştılar. Ayşe tatlı bir sesle bağırdı:

– Hay Allah lâyığını versin! Fatma, seni korkutan sevimli bir keçiceğizmiş meğer. Gel pisi. Gel! Karnın aç mı? Sana biraz pirzola vereyim.

Yeni doğmuş bir kuzu kadar büyük, simsiyah bir kedi salına salına içeri girdi. Gündüzün ortasında sokakta tesadüfen böyle bir hayvana rastlayanların, içi korkudan ürperirdi. Fakat hayvanları çok seven Ayşe'nin füturu yoktu.

Kedi, kendisine çekilen ziyafetin sonunda geldi, mangalın yanında oturdu. Uzun uzun yalanıp temizlendikten sonra, yemyeşil gözlerini Ayşe'ye dikip ona bakmaya başladı. Ayşe:

– Ah ne sevimli kedi! Öyle değil mi, Fatma? Gel oğlum, gel pisi, gel kucağıma bakayım, diye onu çağırdı.

Kedi biraz tereddüt etti. Ağzını açıp gerinerek şöyle bir esnedi. Ne kadar da kocaman ağzı vardı! Sonra bir kaplan kadar sessiz, yavaş yavaş sokuldu. Kızın kucağına yattı. Ayşe, o zarif parmaklarını kedinin simsiyah tüyleri üzerinde gezdirirken bir taraftanda onu okşayan tatlı şeyler söylüyordu.

Böylece bir müddet oturdular. Sonra da yatmaya karar verdiler. Fatma hemen uyudu. Ayşe ise düşünüyor, ellerinde kalan para ile daha ne kadar zaman idare edebileceğini hesaplıyordu. Saat 12'yi vurduğu zaman, o hâlâ gözünü kırpmamıştı. Birden yatağına birisi atladı. Kız doğruldu, gülümseyerek:

– Sen misin Arap? Gel bakalım! dedi. Kediyi biraz okşadı. Fakat kedi kucağından atlayıp odanın ortasında durdu, ağzını açtı, parlak sivri dişleri gecenin karanlığında ışıldadı. Bir kediden umulmayacak kadar kalın sesiyle "Mırnavvv, mırnav!" diye miyavladı. Sonra kapıya gitti, tekrar miyavladı. Kızı dışarı çekmek istediği her hâlinden belliydi. Çok zeki olan Ayşe, bunu anlamakta gecikmedi. Eteklerini toplayarak çıplak ayaklarla hayvanın peşine takıldı. Kedi gitti, o gitti. Kedi gitti, o gitti. Birçok kapılardan, odalardan geçip bir merdivenden indiler. Kedi merdiven altına gelince eşinmeye başladı. Ayşe'ye bakarak arka ayaklarıyla eşiniyor, sonra tekrar durup kıza bakarak acı acı miyavlıyordu. Ayşe de kediye yardım etmeye başladı. Çok geçmeden kazdıkları yerde kocaman bir su küpü dolusu altın buldular. Kız kediyi kucakladı. Hiç çekinmeden, korkunç hayvanın burnunu sevgiyle öptü. Sonra iki avuç dolusu altın alıp merdiven altını eski hâline getirdi. Kedi önde, o arkada yatağına döndü. Altınları çantasına koyduktan sonra, kediyi koynuna alıp ona sarılarak mesut bir uykuya daldı.

Ertesi sabah, insan haykırmaları ve kapının şiddetle çalınması, neye uğradıklarını anlamayan iki kız kardeşi çok şaşırttı. Alelacele yataktan fırlayıp sokak kapısını açtılar. Bir de ne görsünler, konu komşu kapıya birikmiş. Her kafadan bir ses çıkıyor. Fakat kalabalık, kızları görünce hayret dolu bir sükûta gömülüverdi. Ayşe:

– Bir arzunuz mu vardı? diye sordu. Cevap alamayınca:

– Niye bir şey demiyorsunuz, dilinizi mi yuttunuz? dedi.

İçlerinden biri, nihayet ağzını açıp konuşabildi:

– Affedersiniz hanımefendi, biz sizi öldünüz sandık!

– O niye iyi?*

– Şey, şey efendim, buraya giren kiracılar, daima taşındıklarının ertesi günü ölü çıkmışlardır. Onun için sizi merak ettik!

* O da nereden çıktı?

– Yaa! Vah vah! Onlar hesabına üzüldüm doğrusu! Lâkin görüyorsunuz ki biz hayattayız. Hâlimizden de, konaktan da memnunuz.

Bundan sonra, ahali dağıldı. İmam efendi ile karısı ise içeri girdiler. Ayşe onları izzet ikram ağırladı. Bir ara, İmam efendiye:

– Sizi işlerimizle çok meşgul ettik efendim, dedi. Yalnız konağın bazı eşyası çok yıpranmış. Bunları değiştirmek lazım. Acaba, bize ayrıca ihtiyaç duyduğumuz, birkaç eşya ile birkaç halayık* alır mısınız? Konak çok büyük, işi çok. Biz de adamsız olmaya alışık değiliz. Dadılarla, tayalarla büyüdük. Ağır iş kaldırmamız mümkün değil!

– Hay hay! Emriniz başım üzere. Fakat bu zamanda halayıklar biraz pahallı.

– Ziyanı yok. İstediğiniz kadar para verebilirim, diyerek çantasından on altın lira çıkardı Ayşe. Buyurun eğer artarsa üstü size hediyem olsun.

– Allah ömürler versin efendim! Beş altın kâfiydi. Fatma'nın şaşkınlıktan dudakları aralanmış, gözleri büyümüştü. Lâkin sesini çıkarmadı.

Bu Mısırlı hanımların çok zengin olduğu etrafa çabuk yayıldı. Artık misafirler konağı doldurup taşırıyor, genç halayıklar, onları hayatlarında görmedikleri şekilde ağırlıyorlardı. Akşam olunca bütün gün meydanda görünmeyen Arap kedi, Ayşe'nin yanına geliyordu. Genç kız kediyi okşayıp seviyor, ona kendi eliyle türlü türlü yemekler hazırlıyordu. Yatarken onu koynuna alıyor, en tatlı sözlerle onu okşuyordu. Böylece aradan tam kırk bir gün geçti. Kırk birinci gün Arap kedi or-

---

* halayık: köle olarak satın alınan hizmetçi.

talıktan sırra kadem bastı. Ayşe onun ne olduğunu merak ediyordu. Geceleri kalkıp etrafı arıyor:

– Arap! Arap! Gel pisi pisi! Gel nonoşum! diye seslenerek salonlarda dört dönüyordu. Ümidi kesilince ağlayarak odasına dönüyordu. Kedisinin kaybolması onu çok üzmüş, çok sarsmıştı. Lâkin yavaş yavaş buna da alıştı. Buna rağmen, her yeni günün sabahı evi baştan başa arıyor, kendini bundan alamıyordu.

Bir gün konağın kapısının önünde, yaldızlı bir saltanat arabası durdu. İçinden sırma elbiseler giymiş, gayet yakışıklı bir adam inip kapıyı çaldı. Karşısına çıkan halayığa:

– Ayşe Hanımefendi ile kız kardeşi Fatma Hanım, bu evde mi oturuyorlar? diye sorunca halayık müspet cevap verdi. Bunun üzerine yakışıklı adam:

– Kendilerine haber verin, ben onun kocası ve Mısır valisiyim, dedi. Hizmetkârlar Mısır vali paşasını* misafir salonuna buyur ettikten sonra, gidip hanımlarına haber verdiler. Ayşe büyük bir telâşa düştü. Kendisi, Mısır'ı ömründe görmemişti. Üstelik hayatında kimseyle evlenmemişti. Lâkin vaziyet, uydurduğu yalanlara tıpatıp uyuyordu. Bozuntuya vermeden:

– Pekâlâ hazırlanıp geliyorum, dedi. Hemen aynanın karşısına geçti. Kendisine çok yakıştığını bildiği, gül pembe rengindeki elbisesini giydi. Zümrüt küpelerini ve gerdanlığını taktı. Saçlarını dalga dalga omuzlarından aşağı bırakıp ince şifon başörtüsünü örttü. Elbisesi yüzünün rengine ve çileğe benzeyen dudaklarına çok güzel uyuyordu. Parmaklarını gül yağına batırırken biraz düşündü ve "Adam sen de" der gibi omuzlarını silkip yumuşak adımlarla misafir odasına gitti.

* Hidiv.

Yakışıklı vali paşa, onu görünce heyecanla ayağa kalktı. Gözleri pırıl pırıldı. Ayşe "Acaba, ben bu gözleri bir yerde gördüm mü?" diye hafızasını zorladı. Fakat hatırlayamadı. Gülümseyerek:

– Hoş geldiniz efendim. Sebebi teşrifinizi öğrenebilir miyim? diye sordu. Adam davudi sesiyle:

– Beni tanımadınız mı Ayşe Hanımefendi? Sizi ne kadar özlediğimi ve aradığımı tahmin edemezsiniz!

Ayşe, hayatında ilk defa, söyleyeceği sözün ne olması lazım geldiğini kestiremedi.

– Çok özür dilerim efendim fakat ben sizi hayatımda ilk defa görüyorum, diye kendini zorlayarak cevap verdi.

– Hayır ilk defa değil! Beni ne kadar sevdiğinizi unuttunuz mu? Mamafih haklısınız. Nereden bileceksiniz, üç ay evvel kaybettiğiniz Arap kedinin aslında kim olduğunu!

– Siz benim kedim olduğunuzu mu ima ediyorsunuz? Olamaz, imkânı yok!

– Hayır, Ayşe Hanımefendi, imkânı var. Size altın dolu küpün yerini ben göstermiştim. Bu sözlerim, doğru söylediğimi kanıtlar zannederim. Zira bu sırrı bir Allah, bir siz, bir de ben biliyoruz, öyle değil mi?

Ayşe'nin gözleri irileşmişti. Aynı zamanda yüreği hem sevinç hem de utanç ile karışık, garip hislerle dolmuştu. Hiçbir şey söylemedi. Genç adam ise devam etti:

– Evet, Ayşe Hanımefendi, hakikat bu. Benim burnumdan defalarca öptünüz.

Kız, şimdi kıpkırmızı olmuştu. Uzunca bir müddet sustular. Sonra sessizliği Ayşe bozdu:

– Fakat nereden bilebilirdim? Kediciğimin..! Neyse, lütfen, şu işin sırrını söyler misiniz? Niye kedi kıyafetinde geziyordunuz? Sonra niye kayboldunuz? Ve nihayet neden buraya geldiniz?

– Pekâlâ, sorduklarınıza cevap vereyim. Ben Mısır valisinin oğluydum. Bir gün bahçede gezerken son derece güzel bir kız gördüm. Âşık oldum. Evlenme teklif ettim. Meğer kız perilerin kraliçesiymiş. Teklifimi kabul etti, evlendik. Mesut geçen kısa bir zaman sonunda, baldızım da bana âşık oldu. Fakat ben ona yüz vermiyordum. Bu ise onda intikam arzuları yarattı. Kraliçeyi öldürmek için bir plân kurmuş. Bunda maalesef muvaffak oldu. Sevgili karım, kollarımın arasında öldü. Ondan sonra, baldızımı periler kendilerine kraliçe olarak seçtiler. O bana tekrar evlenme teklif edince ben kabul etmedim. Bunun üzerine çok kızdı. Beni kara bir kedi kıyafetine soktu. İstanbul'daki bu konakta yaşamaya mecbur etti. Dışarı çıkarsam ölecektim. İnsanlara da ancak geceleyin görünebilirdim. Eğer birisi bana sevgi gösterir ve bu hissinden vazgeçmezse kırk birinci gün dolduğunda kurtulacaktım. Konağa gelen kiracıların hepsi benden korktu. Kimi fena laflar söylüyor, kimi tekmeliyordu. Her iki hâlde de zavallılar, kraliçenin emriyle öldürüldüler. Fakat siz bana insanca davrandınız. Sayenizde hayatım kurtuldu. Hain kraliçe de kıskançlığından çatlayarak öldü. Mısır'a dönmek, ihtiyar babamı görmek istiyordum, emelime nail oldum. Nerdeyse ölmek üzereymiş. Son gününde yetişebildim. Beni onun yerine tayin ettiler. İşlerimi halledince de yanınıza döndüm. Uydurduğunuz yalanları biliyorum. Ama iyi kalbinizin, güzel yüzünüzün hayranıyım. Eğer benimle evlenirseniz çok mesut olurum. Aksi taktirde kurtarmış olduğunuz hayatımın mânâsı kalmayacaktır. Nasıl? Kabul ediyor musunuz?

Ayşe "Evet" mânâsına başını önüne eğdi. Biraz sonra İmam efendiye haber gönderildi. Sözüm ona Mısır valisi hanımının ayrılığına dayanamamış, pişman olup onu geri götürmeye gelmişti. Şimdi de nikâh tazeleyeceklerdi.

İmam efendi, etekleri uçarak geldi, nikâhı kıydı. Konu komşuya bir hafta ziyafetler çekildi. Eğlenceler tertip edildi. Bu arada Ayşe'nin kardeşi Fatma Hanım da eniştesinin maiyetindeki paşalardan biri ile evlendi.

Nihayet Mısır'a gittiler. Ama vali paşa, konağı satın alıp Ayşe Hanım'a hediye etmişti. Kapının üzerine de altın harflerle "Kedili Konak" ismini yazıp koymuşlardı. Her yaz dinlenmek için gelip kedili konakta bir iki ay kalmayı hiç ihmal etmediler. Onlar ermiş muradına...

Üç Gül Fidanı

Vaktiyle Kapalı Çarşı'da Ahmet Efendi adında gayet zengin bir kuyumcu vardı. Bu adamcağız o kadar zengindi ki üç güzel kızı için yan yana üç büyük konak yaptırmıştı. Hacca gitmek istiyordu. Fakat kızlarını bırakıp ayrılmayı da gönlü istemiyordu. Zira kızlarına pek emniyeti yoktu.

Derli dertli düşünürken gayet eski bir arkadaşı olan komşusu, ona niye böyle asık suratla dolaştığını sordu. Adamcağız endişelerini bu eski dostuna izah edip akıl istedi.

Komşusu:

– İlahî Ahmet Ağa, düşündüğün şeye bak. Eğer kızlarına itimadın yoksa her birinin bahçesine bir gül fidanı diker, ondan sonra hacca gidersin. Hangisi akideyi bozarsa onun gülü kurur. Sen de böylece en lâyık olanına daha büyük sevgi gösterirsin, dedi.

Ahmet Ağa bu fikri iyi buldu. Her kızın bahçesine bir gül fidanı dikti.

– Eğer akidenizi bozarsanız bahçenize diktiğim gül fidanı kuruyacak. Ona göre. Ben dönünceye kadar dikkatli olun, dedi.

Hazırlıklar tamam olunca Ahmet Ağa kalktı, hacca gitti. Üç güzel kız inci gibi gözyaşlarını dökerek babalarını uğurladılar. Bu kızlar memleketin en güzel kızları idiler. Güzellikleri dillere destan olunca sonunda bu, şehzadenin de kulağına gitti. Bu kızları görmek, onlarla tanışmak istedi. Ne desise bulsun? Bir bozacı kıyafetine girip büyük kızın kapısında boza sattı. Bozacının sesini duyan hizmetçi:

– Amanın, canım boza istiyor! dedi.

Şehzade bozayı verdi. Karşılığında para alırken parayı kapının iç tarafına döktü. Tabii o zaman kapı kapanamaz. Şehzade:

– Sen üzülme ben paralarımı toplar, çıkıp giderim, dedi.

Hizmetçi ona inanıp yukarı kata hanımla boza içmeye çıktı. Şehzade ise paraları toplayıp kapıyı içerden kapattı ve evin bodrumuna saklandı. Gece yarısı kızın odasına gitti. Al takke ver külah derken kızın ne namusu kaldı ne ırzı.

İkinci gece şehzade bu sefer turşucu kıyafetine girdi. Aynı minval üzere ikinci kızın evinin bodrumuna saklandı. Gece yarısı olunca hanımın odasına çıktı. Al takke ver külah. Onun da ne namusu kaldı ne ırzı. Böylece büyük kızla ortanca kızın bahçedeki gülleri soldu. Üçüncü gece şehzade düğmeci makaracı kıyafetine girdi. Düğme satma bahanesiyle hizmetçiye malları teslim ederken düğmeleri evin içine döktü. Aynı minval üzere şehzade küçük kızın evinin bodrumuna saklandı. Saklandı ama ablalarının başlarına gelenlerden haberdar olan küçük kız, daha önce iki uşağını evin yüklüğüne saklamıştı. Şehzade bodruma inince uşaklar da arkasından geldiler, şehzadeyi adamakıllı dövdüler. Bayılınca götürüp dört yol ağzına bıraktılar. Bundan sonra şehzade adamlar göndererek küçük kızla tanışma isteğinde bulundu. Kız da şart olarak benim için bir konak yaptırsın, dedi. Konak yapılırken küçük kız şehzade kıyafetine girip konağın abdesthanesinden kendi evine kadar bir tünel kazdırdı. Derken konak bitince şehzade ile buluştular. Şehzade kapıları pencereleri kapattırıp kıza "Haydi yatalım" dedi. Kız:

– Hay hay! Önce helâya gideyim sonra yanınıza gelirim, dedi. Her taraf kapalı olduğu hâlde şehzade, kız kaçmasın diye eline bir ip bağlamıştı. Kız helâya girince ipi helânın ibriğine bağladıktan sonra gizli tünelden kaçıp evine geldi.

Şehzade bekledi, bekledi bir de baktı ki ipliğin ucu ibrikte ama kız nasıl ortadan yok oldu aklı elvermiyor. Bu sefer, görüşelim tanışalım diye kıza yine haber yolladı. Kız da "Olur, önce bir cami yaptırsın, iki rekât namazdan sonra görüşürüm" dedi.

Cami yapılırken kız yine şehzadenin kıyafetine girdi, ustalara mihrabın arkasından evine kadar gizli bir yol yaptırdı. Cami bittikten sonra şehzade kızla camide buluştu. Her ikisi de namazlarını kıldılar. Duadan sonra kız:

– Şehzadem dizine yatayım çok uykum geldi, dedi.

Şehzade sabaha kadar kızla buluşacağım diye heyecandan uyuyamamıştı. O yüzden uyuya kaldı. Kız da mihrabın arkasına yaptırdığı gizli yoldan evine kaçtı. Şehzade kapıya nöbetçiler koyduğu hâlde bir de baktı ki kız sırra kadem basmış. Çarnaçar saraya döndü. Bu arada kızın babasının bahçede diktiği gül fidanı da fışkırdıkça fışkırıyordu. Yeşerdikçe yeşeriyor, güllerle donanıyordu. Bu sefer şehzade yine kızla görüşmek için haberci gönderdi. Kız da "Görüşürüm ama benim için bir hamam yaptırsın. Belki onunla hamamda buluşurum diye cevap verdi. Şehzade bu sefer de bir hamam yaptırmaya girişti. Hamam yapılırken kız şehzadenin kıyafetine girdi, göbek taşının ortasından kendi evine gizli bir yol yaptırdı. Buluşacakları zaman kız bir alay ufak paçavrayı hamama götürdü. Bir torba da cam kırığı götürüp şehzadeye göstermeden bir yere sakladı.

Kız yine kaçmasın diye şehzade hamamın etrafına bir yığın nöbetçi dikmişti. Kıza "Haydi şimdi konuşalım" deyince kız: "Önce yıkanalım" dedi. Oğlanın başını sabunla köpürttü, muslukları paçavrayla tıkadı, camları yerlere serpti, göbek taşının ortasına yaptırdığı gizli yoldan evcağzına kaçıp gitti.

Şehzade hamama gelmeden önce muhafızlara tembih etmişti. Ben bağırsam da çağırsam da sakın kapıyı açmayın, demişti. Şimdi sabun yüzünden gözlerini açamayıp suyu da bulamayınca musluk arayayım derken ayaklarına cam kırıkları battı. Canı yanınca öyle bir feryad etti, öyle bir imdat çağırdı ki sonunda nöbetçiler dayanamayıp kapıyı zorla açtılar. Hemen onu sedyeye koyup saraya götürdüler. Saray doktorları şehzadenin ayaklarından kırık camları ayıklayıp yaralarını tedavi ettiler.

Bu meyanda zengin kuyumcu da hacdan döndü. Bir de baktı ki büyük ve ortanca kızın gülleri solmuş. Küçük kızın gülü ise öyle bir coşmuş ki sanki birken beş olmuş. Kuyumcu küçük kızına:

– Aferin kızım, berhudar ol! dedi. Büyük kızla ortancayı ise reddetti.

Şehzade yaraları iyi olunca dönüp kızın evine geldi. Bu sefer kızı babasından Allah'ın emri ile istedi. Fakat kız şehzadeden korkuyordu. Şehzade ne esvap giydiyse kız da o biçim elbise giyip yağlıkçıya* geldi, at kıyafeti ısmarladı.

* yağlıkçı: kumaşçı.

Düğün bir hafta sonra oldu. Kızın kalbi korkudan üç buçuk atıyordu. Şehzade:

– Konağı yaptırdın, hamamı yaptırdın, camiyi yaptırdın, şimdi ben sana ne yapayım? deyince kız:

– Ne yapayım affet beni, dedi. Şehzade:

– Peki o at palanını ne diye yaptırdın? Bunu affetmem! Gelinliği çıkar bunu giy. Sırtına binip üç sefer odada dolaşıcağım. Ancak o zaman seni affederim, dedi. Böylece masal bitti. Onlar ermiş muradına...

Dokumacının Biri

Adamcağızın biri et meydanında dokumacıydı. Bir gün dükkânında dokuma işiyle uğraşırken kapı açıldı ve içeriye bir derviş girdi.

– Selamun aleyküm, dedi.

– Aleyküm selam.

– Ticaretin nasıl dokumacı efendi?

– Eh şöyle böyle.

– Öyleyse seni bir hazineye götüreceğim. İşime karışmazsan oradan istediğin kadar dünyalık alabilirsin.

– Pekâlâ! İşine karışmam.

– Öyleyse kapa gözünü.

– Kapadım.

– Aç gözünü!

– Açtım.

Dokumacı bir de ne görsün? Dağ başında bir mağaranın ağzında duruyorlar. Derviş anahtarla mağaranın kapısını açtı. İçeri girdiler. Bir taraf altın yığılı. Diğer bir taraf gümüş yığılı.

Bir başka taraf yakut. Bir diğeri zümrüt tepesi. Bir tarafı şemşiret taşı. Bir tarafı pırlanta. Bir başka yerde Flemenk elmasları. Diğer tarafta da Rosa taşlarıyla bezeli bir hazine.

Derviş:

– Artık hangisinden istersen al.

Dokumacı:

– Pırlanta alsam belki para etmez. Elimde kalır. Bozdurması zor olur. Altın alayım, dedi. Fakat ne kadar gayret etse altınları cebine koyamıyordu. Şaşırdı kaldı. O sırada nereden çıktığı belli olmayan dört yaşında bir kız çocuğu dervişe dönüp bakar bakmaz derviş, kızı dövmeye başladı. Kıza öyle bir dayak atıyordu ki kızın sesi Arşı Rahman'a çıkıyordu. Dokumacı dükkânda dervişe verdiği sözü de gözünün önünde duran hazineyi de unutup dervişe:

– Yetişir artık. Çocuğu dövme! dedi.

Derviş:

– Yaa! Sen benim işime mi karıştın? Haydi, çık dışarı! diye dokumacıyı mağaranın dışına attı. Hazinenin kapısını kilitler kilitlemez ortadan kayboldu. Dokumacı ne yapacağını şaşırdı. Ortada kaldığına mı yansın, paraları kaybettiğine mi? Sağ tarafa mı gitsin sol tarafa mı? Nasıl geri döneceğini de bilmiyor. Açlık bir taraftan, susuzluk bir taraftan. İki gözü iki çeşme, dağ taş demedi yürümeye başladı. Rast geldiği köylerden ekmek isteyerek, ağaç diplerinde yatarak yürüdü de yürüdü, evini bulup gelemedi. Ancak yedi sene sonra İstanbul'a dönebildi.

Bu sırada çoluk çocuğu, dokumacıyı öldü sanarak ruhuna Fatihalar okuyup lokma döktürmüşlerdi. Babalarını karşılarında görünce hem çok şaşırdılar hem de çok sevindiler. Eve dönen adamın karısı, kocasının ayaklarının yara içinde olduğunu görünce sular ısıtıp pansumanlar yaptı. Adamcağızı doyurmak için onun sevdiği yemekleri pişirdi. Velhasıl dokumacı ancak bir hafta sonra gidip dükkânını açtı. Çalışmaya başladıktan iki gün sonra derviş çıka geldi.

– Selamun aleyküm, dokumacı baba. İşime karışmazsan haydi seni yine hazineye götüreyim, deyince dokumacı:

– Olmaz da olmaz katiyen olmaz, dedi.

Bu sefer derviş kırk dereden su getirerek adamakıllı dil döktü. Sonunda dokumacının da tamahkârlığı tuttu. Derviş "Kapa gözünü, aç gözünü" deyip adamı mağaranın önüne getiriverdi. Derviş anahtarla hazinenin kapısını açınca birlikte içeri girdiler. Nereden çıktığı belli olmayan küçük kız ortada belirince derviş yine yermisin yemez misin demeden yavrucağıza bastı sopayı. Çocuğun feryatlarına dayanamayan dokumacı "Ne olur yapma kuzum" diye araya girince, derviş "Sen benim işime karıştın. Çık dışarıya!" diye adamı kapının önüne koydu. Ve hazinenin kapısını kitleyip ortadan kayboldu Zavallı dokumacının eve dönüşü, yine yedi senesine mal oldu. Adamcağız zor bela kendine gelip yine dükkânını açtı. Açtı ama iki gün geçmeden derviş yine bunun başına tebelleş oldu. Derviş:

– İşime karışma da seni hazineye götüreyim, istediğin kadar dünyalık al, diye ikna edip dokumacıyı üçüncü sefer hazine mağarasına götürdü. Dokumacı altın mı alayım, gümüş mü alayım diye düşünürken derviş yine ortada beliriveren kız çocuğunu dövmeye başladı. Lâkin bu sefer dokumacı dervişe karışmadı. Gel gelelim ne kadar uğraşsa yine tek bir altın alıp da cebine koyamıyordu. Derviş:

– Vakit doldu. Artık dışarı çıkmamız lazım, dediği sırada dokumacının ayağına bir şamdan takıldı. Derviş "Gözünü kapa, gözünü aç" der demez, dokumacı ayağına takılan şamdanla birlikte kendini evinin önünde buldu. Dokumacı örümcek ağları ile kaplanmış, pislik içindeki şamdanı suyla yıkadı. Meğer şamdan altınmış. Temizlenince pırıl pırıl parladı. Dokumacı bir mum alıp şamdanın içine dikip yaktı. Mum yanar yanmaz, şamdanın içinden kırk kız çıktı. Meğer şamdan tılsımlı imiş. Kızların yirmisi çaldı. Yirmisi oynadı. Taa seher sabah olup mum sönünce kızlar birer avuç altını dokumacının önüne bırakıp gözden kayboldular. Bu olay dokumacı ile ailesinin çok hoşuna gitti. Bunlar her gece kırk avuç altın kazanınca güzel bir konak yaptırdılar. Hizmetçiler, aşçılar derken saltanat üstünde yaşamaya başladılar. Dokumacı zengin oldu ya. Sadrazamı davet edeceğim, diye tutturdu.

Hanımı:

– Sadrazamı davet edeceksin de ne olacak? Yapma etme! Yoksa elinden şamdanı alırlar, diyorsa da dokumacı davetten vazgeçmedi.

Nihayet sadrazam da devrin önemli kişilerinden bazılarını bu davete getirdi. Dokumacı şamdandaki mumu yakınca ortaya birbirinden güzel kırk cariye çıktı. Yirmisi çaldı, yirmisi oynadı. Sabaha karşı mum sönünce kızların her biri, dokumacının önüne bir avuç altın bıraktı. Sadrazam paşa ise bu işe hayran kaldı. Ve dokumacıya:

– Bu şamdanı bana ver, dedi.

Dokumacı:

– Veremem efendimiz, diye cevap verdi.

Ertesi gün sadrazam dokumacının konağına zaptiyeleri gönderdi. Zaptiyeler evi basıp şamdana zorla el koydular. Şamdanı eline geçiren sadrazam, gece olunca bir mum dikip şamdanın ışığını uyandırdı. Mum yanar yanmaz ortaya devasa boyutta, bir dudağı yerde bir dudağı gökte kırk tane Arap çıktı. Araplar sadrazamı bir güzel dövdüler. Ellerindeki sopayla sadrazamın sırtına vurmaya başladılar. Yirmisi sopayı kaldırıyor, yirmisi de indiriyordu. Böyle böyle sabahı ettiler. Mum sönerken de Araplar ortalığa bir alay necaset bıraktıktan sonra kırkı birden:

– Bu şamdanı sahibine iade etmediğin takdirde mumu ister yak ister yakma her gece seni sabaha kadar dövmeye and içiyoruz, deyip gözden nihan oldular.

Bu beladan kurtulmak isteyen sadrazam, şamdanı bizzat dokumacının evine götürüp özür diledi.

Bundan sonra dokumacı ve ailesi, ölünceye kadar bahtiyarlık içinde yaşadılar. Onlar ermiş muradına...

Güvercin Donlu Şehzade

Sultanahmet'in arka sokaklarında iki katlı, ahşap ve oldukça virane bir ev vardı. Bu evde nesiller boyu hep aynı aile yaşamış, en sonunda çok ihtiyar bir babaanneyle torunu hayatta kalmış, karınca kararınca kimseye muhtaç olmadan geçinip gidiyorlardı. İhtiyar nine bir an evvel torununu evlendirmek, öbür âleme göçmeden önce onun mesut ve müreffeh bir hayat sürdüğünü görmek istiyordu. Lâkin ne yazık ki kadıncağız ani bir kalp krizi sonucu hayatını kaybetti. Böylece çok genç ve çok güzel olan Gülnihal, henüz on dördünde yetim ve öksüz kala kaldı. Konu komşu ve mahalle imamımın gayretiyle cenaze kaldırıldı. Dualar okundu, hatimler indirildi. Kırkıncı ve elli ikinci gün duaları da yapıldı. En sonunda kızcağız el ayak çekildiği için koca evde yapayalnız kaldı. Havalar soğumaya başlayınca bodruma inip mangal kömürü almak isteyen Gülnihal, bodrumda o zamana kadar fark etmediği, küçük bir kapı gördü. Kapı bir sahanlığa, oradan da yerin altına doğru açılan bir merdivene bakıyordu. Kızcağız merakını gidermek için elindeki idare lambası ile hiç korkmadan aşağılara doğru inmeye başladı. Her taraf toz ve örümcek ağlarıyla kaplıydı. Nihayet epey aşağı indikten sonra ilginç bir methale* geldi. Burası da bir kapı ile nihayet buluyordu. Kızcağız kapıyı açtı. Ufak bir koridoru geçtikten sonra harikulade bir bahçeye geldi. Hayretler içinde bahçeye ve hemen ilersindeki mükemmel bir mimari ile yapılmış köşke baka kaldı. Ortada oldukça büyük, fıskiyeli, mermer bir havuz; etrafında bu havuzu renklendiren değişik renkte güller, gardenyalar vardı. Köşkün etrafı manolya ağaçlarıyla süslüydü. Etraf mis gibi kokuyordu. Kızcağız yüzlerce yıl evvelden beri İstanbul'un altında bir takım gizli geçitler ve gizli mekânlar olduğunu ninesinden dinlemişti. Lâkin bu bile onun şaşkınlığını gideremiyordu. O böyle düşünüp dururken sarmaşık güllerinin gizlediği ufak bir kovuk buldu. Oraya yerleştirilmiş olan antika sandalyeye oturup soluklandı. Tam bu sırada havuzun etrafında uçmaya başlayan bir beyaz, bir de siyah iki güvercin gördü. Beyaz güvercin havada bir tur attıktan sonra havuzun fıskiyesinin altındaki sulara daldı çıktı ve havuzun kenarında şöyle bir silkelendi. İşte o zaman ortaya çok yakışıklı, çok güzel elbiseler giymiş bir şehzade çıktı. Aynı şekilde siyah güvercin de peşinden silkelenip yakışıklı bir zenci hizmetkâr oldu. O sırada kız, saklanmak istemesine rağmen ufak bir hayret çığlığı atmaktan kendini alamadı. Adamlar kızı fark edince şehzade, Gülnihal'in yanına geldi. Onun telaşını giderecek müşvik bir tebessümle "Bahçemize hoş geldiniz efendim" derken lalasına dönüp "Sofraya bir tabak daha ilave eder misin?" diye seslendi. Ha-

* Bir bina bölümünde ilk girilen ve asıl kısma geçişi sağlayan yer, giriş.

vuz kenarına hazırlanan muhteşem sofraya yapılan davete kızcağız hayır diyemedi. Çok tatlı bir sohbet eşliğinde mükemmel bir akşam yemeği yendi. Şehzade kızcağızın köşkte devamlı olarak kalmasını, olanca samimiyetiyle rica etti. Kız da bu ricayı kıramadı. Köşkte meçhul bir prenses için tanzim edilmiş mükemmel bir oda vardı. Dolaplarında mükemmel elbiseler, çamaşırlar, hayrete şayan mücevherler vardı. Mutfakta kimin hazırladığı belli olmayan kahvaltılık yiyecekler, öğlen yemekleri bulunuyordu. Akşam olunca beyaz ve siyah güvercin havuzun üstünde turlayıp sulara dalıyor; silkelenince beyaz güvercin şehzade, siyah güvercin de onun lalası oluyordu. Tatlı sohbetler eşliğinde güle oynaya yemekler yeniyordu. Kızcağız odasına çekildikten sonra, bir dahaki akşama kadar şehzadeyi ve lalayı göremiyordu. Günler, haftalar, hatta aylar, yıldırım gibi akıp geçip gitti. Nihayet bir gün şehzade kıza evlenme teklif ederek çok güzel bir pırlanta yüzüğü nişan hediyesi olarak verdi. Kızcağız çok mutlu olmuştu. Fakat bu işin nereye varacağını düşünmekten kendini alamıyordu. Neden şehzade ve lalası güvercin donunda geziyorlardı? Bunlar bir büyüye mi uğramışlardı? Yoksa insan olmayan, değişik şekil ve biçimlere giren, iyi saatte olsunlar güruhundan mıydılar? Bu iç karartıcı düşünceler, kızcağızın keyfini gitgide kaçırıyor, onu mahzun ediyordu.

Gülnihal bir gün şehzade ve lalasıyla yemek yerken:

– Efendimiz acaba bu köşkte geceleyin hiç kaldınız mı? diye sordu. Şehzade:

– Lalamla ikimiz sadece mukaddes ayların on üç, on dört ve on beşinci gecelerinde yirmi dört saat güvercin donundan çıkıp insan olarak bu köşkte kalabiliyoruz. Yarın da Recep ayının on üçüncü gecesi olduğu için, yarın bütün gün ve takip eden üç gün süreyle köşkte kalabileceğiz. Eğer bu hâlimizi kabul ederseniz dest-i izdivacınıza talibim, deyince kızcağız mahcubiyetle başını önüne eğdi. Güzel yanakları pembe pembe olmuştu. Yumuşak bir sesle: Bana şeref verdiniz şehzadem. Elbette kabul ederim, dedi. Bunun üzerine şehzade, cebinden çıkardığı çok değerli bir pırlanta yüzüğü genç kızın parmağına taktı. Lala da hemen Gülnihal'i etekledi.*

– Hiç merak etmeyin, ben düğün için bütün hazırlıkları derhal yapar, zifaf odasını da en uygun şekilde tanzim ederim, deyip hızla gençlerin yanından uzaklaştı. Ertesi gün lala havuzlu bahçede mükellef bir düğün yemeği hazırladı. İleri saatlere kadar tatlı bir sohbet devam etti. Şehzade ve Gülnihal nihayet evliliklerinin ilk gecesi için odalarına çekildiler. Kısa günler yıldırım hızıyla geçti. Mukaddes günler biter bitmez şehzade ve lala beyaz ve siyah güvercin donlarına girerek uçup gittiler. Ondan sonra ancak öğle yemeği saatlerinde köşke gelip bir, bir buçuk saat kadar kalıyorlardı. Günlerden bir gün Gülnihal hanım ızgara pirzola yapmak için güzel bir mangal yakmıştı. Öğlen yemeğinde şehzade, havuzun suyuna girip güvercin donunu kenara bırakarak insan kıyafetinde güzel karısına doğru yürüyüp ona sarıldı. Sonra sofraya oturdu. Gülnihal de büyük bir hızla kocasının ve lalanın bir köşede duran güvercin kıyafetlerini alarak götürüp alev alev yanan mangalın içine attı. Birdenbire ortalığı müthiş bir duman kapladı. Şehzadeyle lala düşüp bayıldılar. Kızcağız da korkudan taş gibi kala kaldı. Duman dağıldıktan sonra köşkün ve bahçenin bir deniz kenarında olduğunu hayretler içinde müşahede eden

---

* Eski devirde hizmetkârlar saygılarını arz etmek için hanımların eteğini öpecek kadar yere doğru eğilip eteğin uçlarını üç defa öperdi. Buna eteklemek denirdi.

Gülnihal, ayılmakta olan kocasına masadan bir bardak su alıp götürdü. Ağlıyor, özürler diliyordu. Fakat şehzade gülümseyerek karısını teselli etti.

– Sen beni çok ağır bir büyüden kurtardın. Artık her şey eski hâline, normale döndü. Benimle evlenmek isteyen bir perinin teklifini reddedince o da beni ve lalamı güvercin kıyafetine sokup evimi ve bahçemi bir yeraltı bahçesine taşımıştı, dedi. O günden sonra şehzade ile Gülnihal çok mutlu bir hayat yaşadılar.

Dişi Ağrıyan Kedi

Edirnekapı'ya yakın arka sokakların birinde; iki katlı, küçük, ahşap bir evde, yaşlı bir karı koca ile Cafer adlı kedileri sakin bir hayat yaşıyordu. Kadıncağız Cafer'e oğlu gibi bakar, her gün onun için ciğerciye gider, ciğer alır, pişirip kediciğine yedirirdi. Cafer güçlü kuvvetli bir kara kediydi. Yemyeşil, güzel gözleri vardı. Kendini de iyi bakardı hani. Karnını doyurup mangal yanındaki minderine oturduğu zaman saatlerce ön patileri ile suratını temizler, sırtını da karnını da uzun uzun yalardı. Dik kuyrukluydu. Onun yüzünden evde fare barınamazdı. Oldukça kalın sesiyle miyavlar, sıçrayarak kapalı kapıları, akıllara hayret verici bir çeviklikle açardı. Bir gün bile evin herhangi bir köşesini kirletmemişti. İhtiyacı olduğu zaman hanımına miyavlayıp isteğini en mükemmel bir şekilde anlatırdı. Yakışıklı bir kediydi. Mahallenin bütün dişi kedileri onun peşindeydi. Ama o pek yüz vermezdi. Yaşlı kadın "Cafeeer!" diye seslendiği zaman nerede olursa olsun anında koşup gelir, hanımının eteklerine sürünerek "Ne istiyorsun?" der gibi miyavlardı.

Yavaş yavaş sonbahar bitmiş, kışa girilmişti ki artık bacaların dumanı aralıksız tütüyordu. Hanımın kocası kömürlükten odun alarak sobayı yakar, kor hâline gelen ateşi mangala koyardı. Böylece hayatlarını geçirdikleri oda, daima sıcak kalırdı. Hanım da kocasıyla paylaştığı döşeğini oturma odasına taşımıştı. Her odayı ayrı ayrı ısıtacak kadar paraları yoktu. Günlerden bir günün gecesinde yemekten sonra, evin beyi mutadı olduğu üzere kahveye gitmek istemedi. Hâlbuki her gece gemici fenerini yakıp çoktan bozulmuş Arnavut kaldırımlarının taşları üzerinden sekerek kahveye gider, vakit geçirirdi. Lâkin nedense bu gece keyfi istemiyordu. O kahveye gittiği zaman hanım da komşuya gider, kadın kadına ateş başında mısır patlatıp güzel masallar anlatırlardı. Fincanda yüzük oyunu oynanır, şen kahkahaların sonunda uykudan mahmurlaşmış gözlerle eve dönülüp cumba yatak geceye son verilirdi.

Evin beyi:

– Hanım sen her zamanki gibi yine komşuya git. Benim keyfim yok. Çarşıdan aldığım kestaneleri kebap edip yedikten sonra yatacağım, dedi. Kadıncağız:

– Hastaysan gitmeyeyim. Belki bir ihtiyacın olur, dediyse de adamcağız yine de onu komşuya gönderdi. Mangalın başına oturup özenle çizdiği kestaneleri kebap edip kenara koyuyor, üç dört tane birikince soyup ağzına atıyordu. Bu arada Cafer minderinde uzanmış, kocaman yemyeşil gözlerini efendiye dikmiş, onu gözlüyordu. Bir süre sonra efendi biraz tedirgin:

– Cafer sen de kestane yemek ister misin, oğlum? diye sordu. Gecenin sessizliğinden usanmış, laf olsun beri gelsin gibilerden bu soruyu ortaya atmıştı. Cafer elinin üstünü yalayıp yüzünün iki yanına sürdükten sonra:

– Teşekkür ederim. İstemem dişim ağrıyor, dedi. Hiç kediler konuşur mu? Tabii ki konuşmaz. Efendi, "Keyfim yok ya, biraz hastayım galiba, bana kedi konuştu gibi geldi" diye düşündü. Birkaç kestane daha yedi. Kendini ikna etmeye, yüreklendirmeye çalışıyordu. Bu sefer tereddüt içinde, oldukça ürkek:

– Cafer! Oğlum, kestane kebabı yer misin? diye yineledi. Cafer "Ya huu, bu adam laftan anlamıyor mu, ne" dercesine olduğu yerde biraz gerindi. Başını efendiye çevirerek:

– Dişim ağrıyor dedim yaa. İstemem. Yemem, deyince efendi artık kendi kendine ürküntüsünü geçirecek yeni mülahazalar üretmekten vazgeçip hanımın serip gerdiği döşeğin içine girdi. Yorganı iyice başına çekti. Korkudan tir tir titreyerek karısının komşudan gelmesini beklemeye başladı.

Saat epey ilerlemişti ki evin hanımı koca anahtarıyla sokak kapısını şangır şungur açtı. Terliklerini giyerek malta taşları döşenmiş tertemiz methale ayak bastı. Yeldirmesini duvardaki çiviye astıktan sonra sakin adımlarla merdivenleri çıkıp oturma odasına girdi. Efendi; oda sıcak olduğu hâlde kalın yün yorganı kafasına çekmişti, üstelik sıkı sıkıya sarıldığı hâlde titriyordu. Kadıncağız:

– Efendi bu ne hal? Hastalandın mı? diye sorunca adamcağız fısıltılı bir sesle:

– Çabuk kediyi odadan dışarı at, dedi. Bunun üzerine kadıncağız ikiletmeden:

– Cafer oğlum, gel pisi pisi, hadi dışarı bakayım. Çık dışarı. Aferin, deyip kapıyı kedinin arkasından örttü. Kan ter içinde yorganı yatağın ortasına atıp oturan kocasına dönerek·

– Allah aşkına ne oluyor sana? Bu garip hâl nedir, diye sordu. Onun üzerine adamcağız başından geçenleri bir bir anlatmaya başladı. Sonuç olarak:

– Hanımcığım. Bu kedicik tekin değil. Ben artık bu kediyi evimde istemiyorum. Ne yaparsan yap, yarın bu kedi evden gitsin, dedi.

Ertesi gün kadıncağız Cafer'i kucağına aldı. Uzun uzun sevdi, okşadı. Ona tatlı sözler söyledi. En sonunda:

– Cafer'ciğim babanın durumu gitgide sarpa sarıyor. Piyasa gitgide kötüledi. Fukaralık arttı. Artık sana eskisi gibi ciğer alamayacağım. Seni lâyık olduğun şekilde besleyemeyeceğim. Çok üzülüyorum. Lâkin başka çarem yok. Sen hassas ve laftan anlayan bir kedisin. Bunları sana söylerken içim kan ağlıyor. Lâkin elden ne gelir. Kaderimiz böyleymiş. Kendine daha şefkatli diyemesem de daha zengin bir ev bulmanı istiyorum. Artık sana yedireceğimiz ekmek tükendi, deyip kediciği ağlaya ağlaya öptü, sevdi ve sokak kapısının dışına usulca bıraktı.

Aradan aylar geçti. Belki bir iki yıl da geçmiş olabilir. Hakikaten kadıncık ve efendisi daha da zayıflamış ve kötüleşmiştiler. Fukaralık bellerini bükmüştü. Bir gece efendi, bitkin bir hâlde eve döndü. Hanıma:

– Akşama yiyecek bir şeylerimiz var mı? diye sordu.

Kadıncık:

– Kuru ekmeğimiz var ama yanına bir tutam tuzdan başka katık yok. Buna da şükür, diye cevap verdi. Tam bu esnada sokak kapısı yumrukla gümbür gümbür çalındı. Kadıncık:

– Geldim! Geldim! Yetiştim. Artık kapıyı yumruklama, diyerek sokak kapısını açtı. Karşısında saçı sakalı uzamış, sırtında pıyrık, yamalı elbiseli, fukara bir hamal duruyordu. Sırtında taşıdığı, ağır bir yük olduğu belli olan çuvalı evin girişine dikkatle bıraktıktan sonra sordu:

– Burası Cafer Ağa'nın evi değil mi? Kadın hayretle:

– Burada Cafer Ağa diye biri yok, diye cevap verdi. Hamal:

– Canım nasıl tanımazsınız? Senelerce bu evde yaşamış. Artık sana gereken hizmeti yapamayız, demişsiniz de o yüzden sizi zora sokmamak için evden ayrılmış. Kadıncık birdenbire sevgili kedisi Cafer'i hatırladı.

– Haaa! Haklısın. Evet evet. Cafer Ağa'yı çok severdik sevmesine ama ne olmuş şimdi Cafer'e? deyince hamal cevap verdi:

– Ne olacak kendisi geçenlerde vefat etti. Son nefesine kadar hep sizi andı. Bütün mal varlığını da size miras olarak bıraktı. Ben de bunu çuvalla size teslim ediyorum. Haydi, kalın sağlıcakla, deyip ardından sokak kapısını çekip gitti. Kadıncağız hayretle çuvalın yanına yaklaştı. Ağzı sıkıca bağlanmıştı. Bin bir güçlükle güçlükle torbanın bağını çözdü. İçinden oymalı, irice bir sandık çıktı. Kilidi üstündeydi. Açtı. Gözleri hayretle fal taşı gibi açıldı. Çünkü sandık ağzına kadar altın parayla doluydu.

Onlar ermiş muradına, biz çıkalım kerevetine.

BİR BÂB-I ÂL-Î KAHVESİ
Alaturka Öyküler

Serkan Özburun

Bu kitapta Dingo'nun Ahırı'ndan bir at alıp tramvaya koşmak istediğinizde, Kırk Yıllık Kani'nin bir Rum güzeline aşkı sizi ve yüreğinizi çarpacak. Sarı Çizmeli Memmed Ağa bu harman mevsimi yine borçlarını ödemeye gelmediğinde, gelecek yılki harman mevsimini bekleyeceksiniz.
"Bir Bâb-ı Âlî Kahvesi", kulağa çalınan elli öyktüden oluşmakta ve sizleri bu kahveye buyur edip kırk yıllık bir hatır yaşamaya davet etmektedir.

ISBN: 975-256-012-1 · 160 sayfa

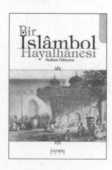

BİR İSLÂMBOL HAYALHÂNESİ
Alaturka Öyküler

Serkan Özburun

Bu kitap, bir yandan İstanbul'un bildik mekânlarına karakter kazandıran yaşanmış hatıratları canlandırırken, öte yandan da dilimizde çok kullanılan deyimlerin ve sözlerin, bir tarafıyla gerçeğe dayanan, kurgulanmış hikâyelerini sunuyor. Hikâyeler tarihe de pencere açıyor. Tarihin bugünü belirleyen bir yaşanmışlık olduğunu, bizim hikâyemiz olduğunu anlatıyorlar. Kimi güldüren, kimi düşündüren, kimiyse insanı hayrette bırakan hikâyeler bunlar. Ortak noktaları, hepsinin İstanbullu olmaları.

ISBN: 975-256-045-8 176 sayfa

ELVEDA ÜSKÜDAR

A. Nadir Utkan

"Gönlümde maziyi dirilterek 1950-1970 yıllarına rastlayan çocukluk ve ilk gençlik yıllarımdaki İstanbul'un kâdim semti Üsküdar'ı o yılların haz ve duygularıyla gelecek kuşaklara kendimce anlatmak istedim" diyen yazar, Üsküdar ve kaybolmaya yüz tutmuş değerleri üzerine canlı bir monografi sunuyor. Çiçek kokan bahçeleri içindeki ahşap evler, konaklar, kapı önü sohbetleri; saygı, komşuluk ve samimiyet kavramlarının hüküm sürdüğü mahalleler, Üsküdar'da balıkçılar, balık ve rüzgâra dair yazarın ele aldığı konular arasında.

ISBN: 978-975-256-099-4 96 sayfa